P9-AQE-360

Français
Manuel de l'élève

Sylvie Viola
Ginette Létourneau

MEMBRE DU GROUPE MORIN
171, boul. de Mortagne, Boucherville (Québec) J4B 6G4
Tél. : (450) 449-2369 Téléc. : (450) 449-1096

Supervision du projet et révision linguistique
Liane Montplaisir

Conception graphique
Dumont Gratton

Mise en page
Diane Parenteau

Collaboration
Suzanne Blain, enseignante

L'éditeur tient à remercier les enseignants et les enseignantes qui ont expérimenté la version provisoire de la collection Tous azimuts *et qui ont permis, par leurs commentaires et leurs suggestions, de concevoir cette version finale.*

Données de catalogage avant publication (Canada)

Létourneau, Ginette, 1956-

Tous azimuts : 1er cycle du primaire. Manuel C

ISBN 2-89242-805-X

1. Lectures et morceaux choisis (Enseignement primaire).
I. Viola, Sylvie, 1961- . II. Titre.

PC2115.T685 1999 Suppl. 4 448.6 C00-942079-7

Nous reconnaissons l'aide financière du gouvernement du Canada par l'entremise du Programme d'aide au développement de l'industrie de l'édition pour nos activités d'édition.

Gouvernement du Québec – Programme de crédit d'impôt pour l'édition de livres – Gestion SODEC

Dépôt légal 1er trimestre 2001
Bibliothèque nationale du Québec

ISBN 2-89242-805-X
Imprimé au Canada 2 3 4 5 6 – 4 3

Illustrations
Christine Battuz, p. 10, 11, 32, 33, 46, 78-80, 84, 85, 92-94.
Marie-France Beauchemin, p. 22, 28-30, 77, 82, 83.
Jean Bernèche, p. 56, 57.
Andrée Chevrier, p. 12, 20.
Arto Dokouzian, p. 26, 76, 108.
Daniel Dumont, p. 13, 14, 26, 27, 31, 44, 45, 58.
Marie-Claude Favreau, p. 6-9, 24, 25, 27, 40, 41, 43, 70-72, 88, 89, 109.
Danielle Lambert, p. 54, 68, 103.
Stéphane Lortie, p. 55, 65.
Steeve Lapierre, p. 5, 16-19, 23, 31, 35, 36, 39, 47-50, 61-63, 66, 67, 81, 86, 91, 103.
Joanne Ouellet, p. 74, 75, 87, 90, 104.
François Thisdale, p. 21, 38, 51, 59, 68, 69, 96, 97, 99, 105.

Mascottes et illustration de la page couverture
Daniel Dumont

Cartes Oreillimot et mots-étiquettes
Andrée Chevrier

Photos
ACDI, Patricio Baeza, p. 42 (4) ; David Barbour, p. 64 (3) ; Roger Lemoyne, p. 42 (5) ; Pierre St-Jacques, p. 42 (6).
Archives photographiques Notman, Musée McCord d'histoire canadienne, Montréal, View-2816, *Electric Snowplough*, 1895, p. 64 (2) ; II-180315, *Master William Cornelius Covenhaven Van Horne*, 1910 p. 67 (2).
Archive Photos, Kean Collection, p. 67 (1).
Corel, p. 53 (3), p. 64 (1), p. 100 (1), p. 101 (4), p. 102.
Galerie Jeannine Blais, p. 15.
General Electric, p. 42 (2).
Robert Dolbec, p. 70.
Insectarium de Montréal, René Limoges, p. 100 (2).
Roger Le Garrec, p. 37 (3).
Megapress / Gaillard, Jerrican, p. 106 (1).
MER, Jean Sylvain, p. 101 (3).
Michel Lessard, *Objets anciens du Québec*, Sogides, p. 42 (1).
Multi-Art limitée, Saint-Lambert, p. 98.
Musée national des sciences et de la technologie du Canada, p. 42 (3).
Naturfoto, Klaus Honal / Corbis, p. 36 (1).
Photodisc, Neil Beer, p. 64 (4).
Publiphoto, William Ervin / Science Photo Library, p. 52 (1) ; Gérard Lacz, p. 52 (2) ; R. Volot Jacana, p. 55.
Réflexion photothèque, Wayne Aldrich / int'l Stock, p. 37 (2) ; Benelux, p. 106 (2) ; Index Stock Imager, p. 106 (3), p. 107 (6) ; NSP PP, p. 107 (4 et 5).
Superstock, p. 95, Barnes Foundation, Merion, Pennsylvania, p. 35.

Page couverture
Collage : Steeve Lapierre
Photos : Réflexion photothèque / int'l Stock, Dick Dickinson, Bob Jacobson, Camille Tokerud, Bill Tucker, Dusty Willison.

Table des matières

Ça continue

Ça nous aide

Ça fait peur

Ça s'est passé comme cela

C'est amusant

Ce n'est pas pareil

Avec *Tous azimuts*, tu vivras une foule de projets et d'excursions au fil des thèmes.

Dans chaque excursion, il y aura :

- un départ ››› tu te prépares ;
- un parcours ››› tu es en route ;
  ››› tu regardes certains aspects ;
- une arrivée ››› tu organises tes découvertes.

Ça continue

Ton projet

Prépare un album souvenir

Que pourras-tu noter ou conserver dans ton album souvenir tout au long de l'année ?

- Y noteras-tu tes observations ? tes meilleurs moments ? tes réussites ?
- Y conserveras-tu des travaux ? des textes ? des dessins ?
- Comment peux-tu fabriquer un album souvenir original ?

Présente ta production et évalue-la avec la classe.

- Explique où se passe cette histoire et ce qui arrivera aux personnages.
- Dis comment tu dois lire ce texte.

Lis ce texte pour découvrir comment Maxime vit sa rentrée. Compare ensuite sa rentrée avec la tienne. Tu découvriras ainsi l'utilité d'exprimer tes sentiments sur la rentrée.

La moto

En juillet dernier, la famille de Maxime a emménagé dans un nouveau quartier. Maxime connaît déjà quelques voisins, mais il se demande bien comment sera son école…

Dans la classe de Manon : Misako Hito, Maxime Barselou...
Oups !

Bonjour, les amis ! Je suis très heureuse de vous voir. Je suis sûre que nous allons passer une très belle année ensemble.

Te sens-tu bien, Maxime ?
Maxime, tu es tout pâle !
Qu'est-ce qui se passe, Maxime ?
Moi ? Euh...

18•1

Serge Bureau

- Sur la fiche qu'on te remet, note les sentiments de Maxime et tes propres sentiments sur la rentrée.
- Explique l'importance de ne pas se fier à l'apparence des gens.
- Trouve des moyens de découvrir ce que tu vas faire ou refaire cette année.

1. **Observe cette vignette et indique dans quel ordre parlent les personnages. Nomme chaque personnage selon cet ordre.**

***La collection* Tous azimuts**

La collection Tous azimuts *vous encourage à aider votre enfant. Dans chaque encadré accompagné de cette petite maison, on répond à une question que se posent souvent les parents.*

Dans mon baluchon

moins	quand	quelque chose	qui	quoi

STRATÉGIE

Je prends la photo d'un mot pour m'aider à le lire.
Lorsque je lis un mot, je vérifie s'il a du sens dans la phrase.

Maxime / a / peur / des / motocyclistes.

Un **mot** est un groupe de lettres qui veut dire quelque chose et qui est séparé des autres mots par un espace.

Lire une bande dessinée.

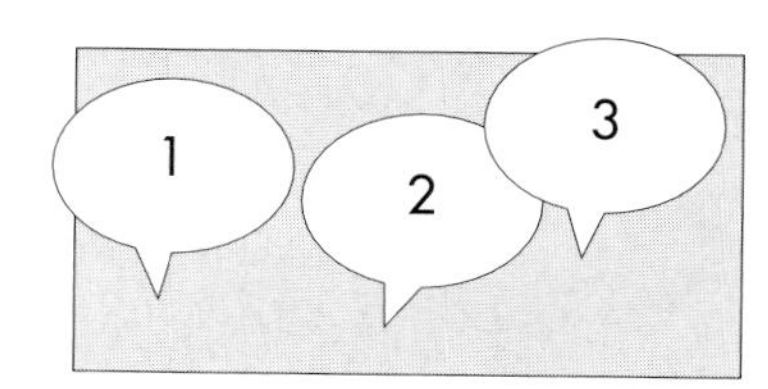

- Fais part de ce que tu ressens aujourd'hui.
- Explique ce que tu as appris et aimé faire dans cette excursion.

- Explique ce qui est différent dans les deux parties du texte.
- Dis ce que tu connais à propos des comptines.
- Lis des mots que tu reconnais d'un seul coup d'œil.

Lis ce texte pour découvrir les règles d'un jeu. Toi et ta classe pourrez y jouer à quelques reprises. Ça t'aidera à réfléchir à l'utilité des règles dans les jeux.

18•2

Le jeu du mot

Nombre de joueurs : toute la classe.
Matériel : un anneau.
But du jeu : nommer le plus de mots possible en **a**, **e**, **i**, **o** ou **u**.

Règles du jeu

1. Un ou une élève mène le jeu devant la classe et les autres sont assis à leur pupitre.
2. L'élève qui mène le jeu tient l'anneau.
3. Il ou elle se déplace dans la classe pendant que les autres lisent la comptine jusqu'au mot **En**.
4. Il ou elle nomme une des voyelles **a**, **e**, **i**, **o**, **u** et dépose l'anneau sur un pupitre.

a e i o u

5. L'élève qui reçoit l'anneau doit trouver au moins un mot qui rime avec la voyelle nommée.
6. Si l'élève réussit, il ou elle mènera le jeu à son tour. Et voilà que ça recommence !

Le mot

Tourne, tourne autour du pot,
Quelqu'un se cache dans ton dos.
Il te dépose un anneau,
À toi de trouver un mot
En « o ».
Robot,
Pot,
Piano,
Vélo…

Corinne Albaut,
101 poésies et comptines,
Paris, © Bayard Éditions, 1993, p. 174.

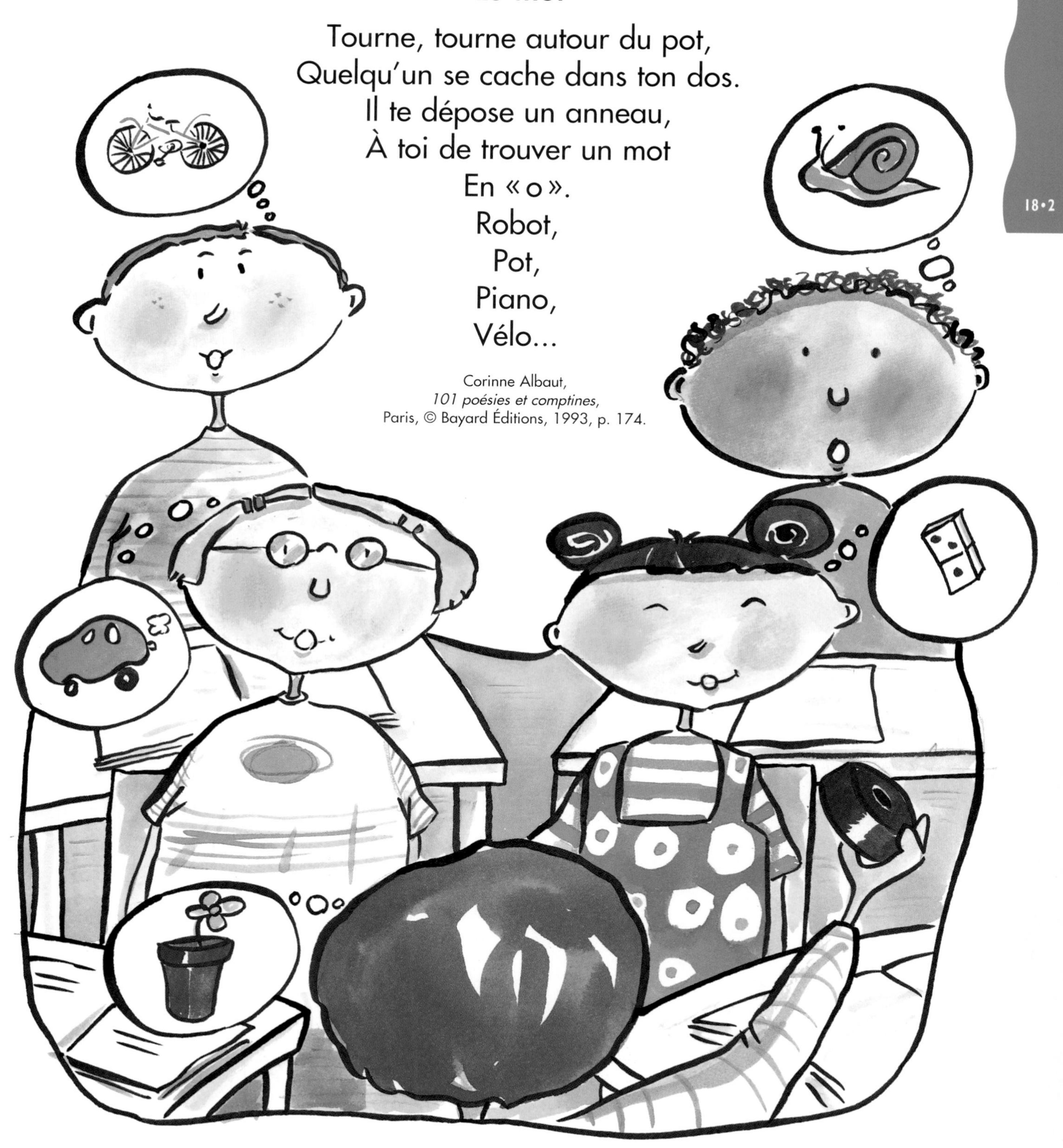

- Joue à ce jeu avec ta classe et dis ce que tu en penses.
- Discute avec tes camarades de l'importance de respecter les règles.
- Sur la fiche qu'on te remet, note ce que tu comprends de ce jeu.

1. **Crée une comptine en remplaçant les espaces par des mots de la liste correspondante ou d'autres mots de ton choix.**

a	b	c	d
Danse	d'un ami	Une souris	un chameau
Marche	d'un ballon	Un éléphant	le lit
Saute	d'un cerceau	Un singe	un avion

a b
. . . autour . . . .

c d
. . . se cache derrière . . . .

À quoi servent les pages avec ⋙ ?

Ces pages servent à approfondir ce qui a déjà été vu en classe. On y trouve :

- *les mots à reconnaître d'un seul coup d'œil* autour *;*
- *les mots à écrire ✎ ;*
- *des* STRATÉGIES *pour mieux lire et écrire.*

Il est bon de revoir avec votre enfant le contenu de ces pages.

⋙ Dans mon baluchon

C'est **rigolo** de voir **la** souris **qui** poursuit **le** chat en pyja**ma** !

STRATÉGIE

A Je reconnais les parties d'un mot nouveau pour m'aider à le lire.

autour

quelqu'un

✎ à, de, du, en, le, se, un

- Explique ce que tu as appris et préféré dans cette excursion.
- Dis ce que tu penses de ta participation à ce jeu.

- Explique à quoi ces deux pages te font penser.
- Dis ce que tu devras faire.
- Lis des mots que tu reconnais d'un seul coup d'œil.

Lis ce texte pour trouver dans l'illustration ce que les personnages te demandent. Ensuite, indique si tu as tout ce qu'il te faut pour bien commencer l'année. Ça t'aidera à réfléchir à ce qui peut t'être utile à l'école.

À vos marques. Prêts ? Cherchez !

Pour aller à l'école, il te faut différents articles scolaires. Cherche un sac d'école rouge, trois crayons bleus et deux règles vertes.

Pour aller à l'école, il faut se lever tôt et bien déjeuner. Crois-tu que j'ai de bonnes habitudes ? Pour le savoir, trouve-moi !

18•3

Pour aller
à l'école, il te faut
un sourire et du cœur
au ventre. Crois-tu que j'ai ce
qu'il faut? Pour le savoir,
trouve-moi!

Pour aller
à l'école, il te faut une
tête remplie de bonnes idées
et des amis avec qui les
partager. Trouve-moi!

Pour aller
à l'école, il te faut
peut-être une boîte à dîner
et une collation.
Cherche quatre boîtes à
dîner vertes et cinq boîtes
à dîner jaunes.

- Trouve dans l'illustration ce que les personnages te demandent.
- Sur la fiche qu'on te remet, note ce que tu as déjà pour bien commencer l'école.

1. Observe le tableau ci-dessous. Donne des consignes claires à d'autres élèves de la classe afin qu'ils découvrent les objets que tu as sélectionnés dans ce tableau. Commence tes phrases par : « **Cherche...** »

Retour à l'école, Katerina Mertikas, 1999.

Dans mon baluchon

Ma m**è**re a dans sa t**ê**te
des id**é**es bien men**é**es et d**é**m**ê**l**é**es.

Pour aller à l'école, il te faut un sac d'école.
~~aller Pour il à l'école, sac un te d'école faut.~~

Une **phrase** commence par une majuscule et se termine par un point.
Dans une phrase bien construite, les mots sont en ordre.

cinq	deux	quatre	sept	six	trois	un

- Explique ce que tu as appris et aimé dans cette excursion.
- Nomme les personnes de l'école qui peuvent t'aider cette année.

- Explique ce qui se passe dans cette histoire et ce qui arrivera aux personnages.
- Lis des mots que tu reconnais d'un seul coup d'œil.

Lis ce texte pour découvrir ce qui arrive à Justine. Ensuite, explique ce que tu ferais à sa place. Ça t'aidera à mieux te faire connaître.

« Souriez, les enfants ! »

Thérèse attend près de la porte.
Elle me dit :

— Justine, ta casquette !

J'entre dans la classe.

— Justine, enlève ta casquette.

Je sais qu'il est interdit de porter une casquette dans l'école. Mais... c'est une question de vie ou de mort ! Amélie me regarde. Elle est drôle avec sa robe à volants. Elle essaie d'enlever ma casquette. Je l'enfonce bien sur ma tête. Thérèse n'est pas contente. Elle m'envoie chez la directrice. La directrice est absente. J'attends. Des élèves circulent. Ils montent ou descendent les escaliers. Thérèse arrive, tout essoufflée.

— Viens vite, Justine !

Je cours jusqu'au gymnase. Je m'assois devant Amélie. Je suis au premier rang pour la photo de classe. Hier, ma sœur m'a coupé les cheveux.

Elle a tout raté ! Il ne me reste que trois petits cheveux. Trois cheveux courts comme des poils de souris. Heureusement, j'ai ma casquette ! Un monsieur s'installe derrière son appareil photo. Je lui souris. Hi ! hi ! Amélie me chatouille la nuque. Eh ! Elle me vole ma casqu...Clic !

Lucie Bergeron

- Sur la fiche qu'on te remet, note ce que tu sais maintenant sur Justine.
- Dis ce que tu ferais à sa place.

1. **Lis les phrases suivantes. Nomme ensuite le personnage qui parle ou qui pense.**

Thérèse

Justine

Amélie

a) Je me tourne vers Amélie. Thérèse nous surprend.

b) — Justine et Amélie, qu'est-ce qui se passe?

c) — C'est Amélie, elle...

d) — C'est Justine, elle...

e) — Les filles, j'attends vos explications.

Pourquoi mon enfant doit-il reconnaître des mots d'un seul coup d'œil?

Les mots que votre enfant doit apprendre à reconnaître rapidement sont présentés de la façon suivante: qu'il *. Ce sont les mots qu'on voit le plus souvent à l'écrit. Les reconnaître rapidement permettra à votre enfant de lire plus vite et de mieux comprendre son texte. Il faut donc l'encourager à relire ces mots plusieurs fois.*

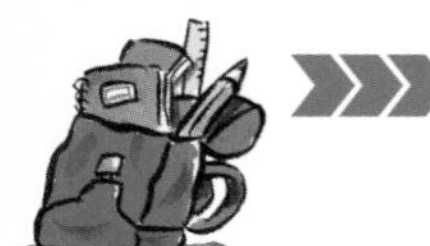

Dans mon baluchon

STRATÉGIE

Je regarde les illustrations **et les mots** autour du mot pour me donner une idée du mot à lire.

— Justine, enlève ta casquette.

Le **tiret** indique que quelqu'un parle.

qu'il

 j'ai, je dis, je suis, il a, elle a, elle dit, il est, elle est

- Explique ce que tu as appris et aimé dans cette excursion.
- Fais comme Justine et explore ton école à l'aide de la fiche qu'on te remet.

- Sur la fiche qu'on te remet, dessine ton visage de façon amusante et imagine ce que tu pourrais en dire.

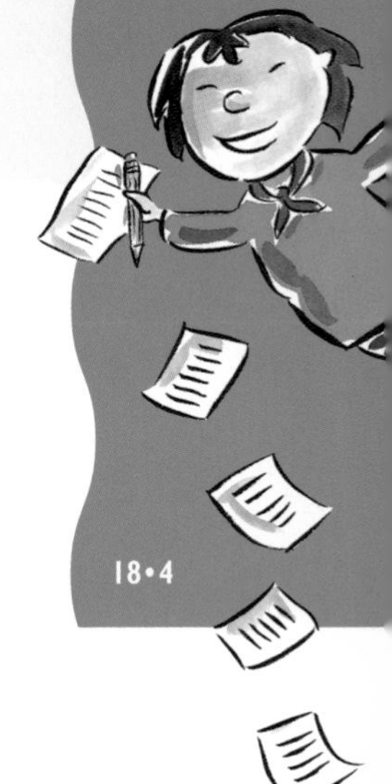

Écris un texte pour décrire ton dessin. Ensuite, tu inviteras tes camarades à associer ton texte à ton dessin. Ça t'aidera à mieux te faire connaître.

Ta fiche d'identité

1. **Quelles phrases décrivent bien le dessin de Justine? De quoi parlent les autres phrases? Discutes-en avec tes camarades.**

Mon portrait

a) J'aime jouer avec mon ami Ilia.

b) Je n'aime pas les araignées.

c) Je porte une salopette.

d) Je suis drôle avec ma casquette.

Justine

2. **Écris ton texte sur la fiche.**

3. **Relis ton texte et vérifie-le à l'aide des questions qu'on te propose. Ensuite, améliore-le.**

Dans mon baluchon

STRATÉGIE

Je porte une salopette.

Quand je ne sais pas comment écrire un mot, je peux :
- l'écrire comme je le pense ;
- le mettre en évidence pour le vérifier plus tard.

- Récris ton texte au propre et invite les autres élèves à le lire et à découvrir ton portrait.
- Fais part de ce que tu penses de ton premier texte.

- Explique à quoi ce texte te fait penser.
- Dis ce que tu devras faire avec ce texte.
- Lis des mots que tu reconnais d'un seul coup d'œil.

Lis les paroles de cette chanson pour la chanter avec ta classe. Ensuite, dis ce que tu aimes de l'automne. Ça t'aidera à mieux connaître cette saison.

18•5

V'là l'bon vent

V'là l'bon vent
V'là l'joli vent
V'là l'bon vent
Ma mie m'appelle
V'là l'bon vent
V'là l'joli vent
V'là l'bon vent
Ma mie m'attend

1

J'aimerais tant
Voler au vent.
Les feuilles s'envolent.
Pourquoi pas moi ?

2

J'aimerais tant
Voler au vent.
Les feuilles s'envolent.
Je vole vers toi !

Chanson traditionnelle
adaptée par Paule Brière,
Bayard Presse Jeune Québec,
Pomme d'api, nº 62, octobre 1997.

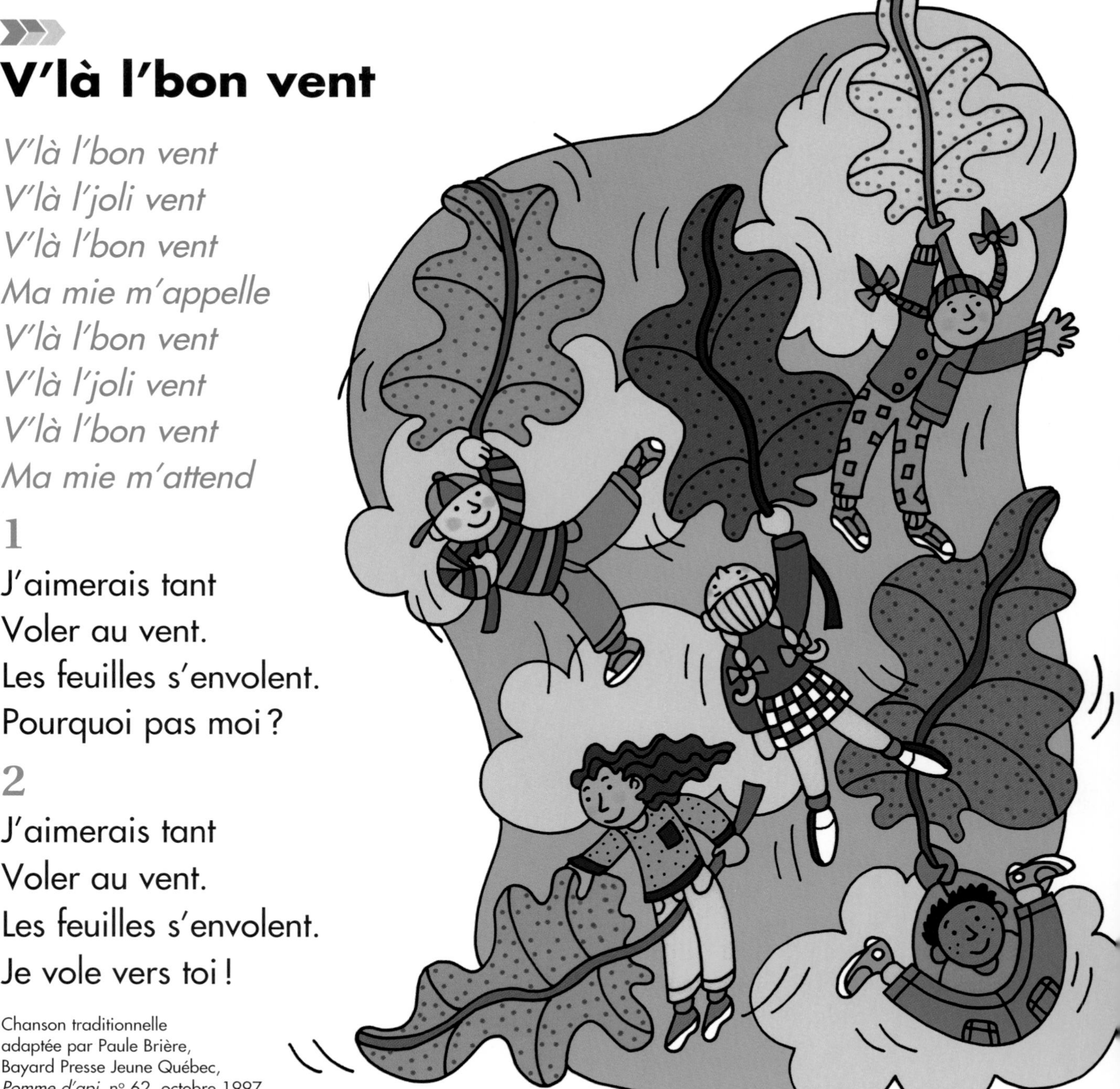

- Chante cette chanson à l'école et à la maison.
- Nomme les mots de cette chanson qui te font penser à l'automne.
- Nomme ce que tu aimes voir, entendre, toucher, sentir et goûter en automne.

1. **Complète le poème suivant. Choisis le mot qui rime et qui a du sens avec les autres mots ou trouves-en un autre.**

Vole vole

Un tapis qui rampe
Au coin de la chambre
Est moins passionnant
Qu'un tapis ... — volant enchanté comment ...

Un poisson qui nage,
Doux comme une ..., — illustration nuage image ...
Est moins remuant
Qu'un poisson ... — volant muet chant ...

Un cerf qui bougonne
Dans les bois de ... — l'hiver bourgeon l'automne ...
Est moins amusant
Qu'un grand ... — bateau à voiles musée cerf-volant ...

Gérard Bocholier, *Poèmes du petit bonheur*, Paris, Hachette livre, 1992, p. 28. (Le Livre de poche jeunesse)

Comment aider mon enfant à relever des défis ?

Encouragez votre enfant à relever des défis lui permettant de s'améliorer et de s'engager personnellement. Posez-lui quelques questions : Quel défi aimerais-tu te fixer pour régler ce problème ? Pourquoi ? Quels moyens penses-tu utiliser pour mener ton défi à terme ? Quelle aide aimerais-tu avoir des gens autour de toi ?

2. **Lis le texte et dis si chacune des phrases qui le suivent est vraie ou fausse.**

Quand le vent est heureux, Mathieu est chanceux. Au vent marin, Justin est coquin. Pascale préfère le vent hivernal. Robin aime bien le vent frisquet d'automne. Quand le vent malin s'en vient, Martin a bien du chagrin.

a) La première phrase contient le plus de mots.

b) Dans ce texte, il y a cinq phrases.

c) La première et la quatrième phrases contiennent le même nombre de mots.

d) Dans ce texte, il y a cinq lettres majuscules.

Dans mon baluchon

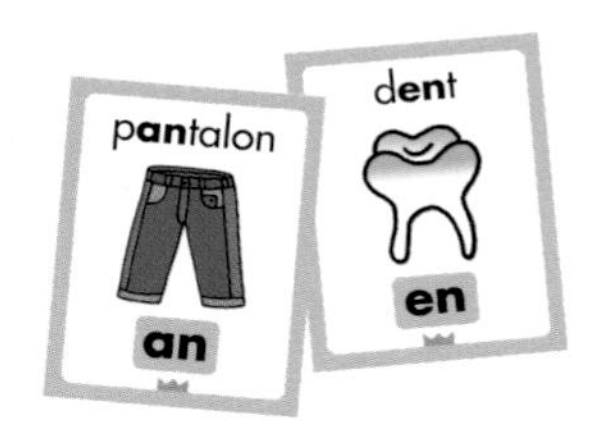

Un péli**can** impru**den**t
s'est cassé une **den**t en vol**an**t !

moi

pourquoi

toi

STRATÉGIE

Je regarde **les illustrations** et les mots autour du mot pour me donner une idée du mot à lire.

STRATÉGIE

Pour retenir l'orthographe d'un mot...

1. Je le regarde bien et je le photographie.
2. Je le cache.
3. Je le dis dans ma tête et j'essaie de le voir.
4. Je cherche les difficultés que je perçois dans ce mot.
5. Je l'écris de mémoire.
6. Je le vérifie.

 au, bon, bonne, joli, jolie, les, vent

- Explique ce que tu as appris sur ton environnement en automne.

Ton projet

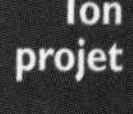

Fabrique un engin avec des roues

Que peux-tu fabriquer d'intéressant? Construis un engin original.

- De quel matériel as-tu besoin pour le fabriquer? Du papier, des contenants de plastique, de métal ou de carton, du bois, de la styromousse?
- Comment l'activité *Expérimente toutes sortes de roues* peut-elle t'aider?
- Comment pourrais-tu présenter ton engin?

Présente ta production et évalue-la avec la classe.

- Explique de quoi il est question dans ce texte.
- Discute avec tes camarades de l'utilité du titre d'un texte.

Lis ce texte pour découvrir ce que font Firmin et Chloé avec leurs patins à roues alignées. Ensuite, précise ce que tu aimerais faire avec eux. Ça t'aidera à réfléchir à l'amitié et à la sécurité.

19•1

Les patins à roues alignées

« Tiens, tiens, tiens… »
Chloé est étonnée.
Firmin tient enfin sur ses patins,
Ses premiers patins à roues alignées.
Il était temps ! C'est déjà la fin de l'été !
D'abord, on joue au hockey toute la matinée.

Que feront-ils ensuite ?

Puis, escapade sur l'esplanade
Où l'on fait des glissades.
Ensuite, poursuite dans les ruelles.
On aligne quelques poubelles
Et on fait du slalom entre elles.

Martin rencontre Firmin et Chloé,
Les kamikazes de la roue alignée.
Leur copain dit : « Les feuilles tombent,
Si on faisait la bombe ? » ?

Quel est ce jeu ?

Les feuilles sont mises en tas.
On saute dedans jusqu'à la nuit tombée.
« Ouf ! Quelle journée ! » s'écrient les gars.
Puis les amis se quittent pour aller souper. ?

Que feront les enfants maintenant ?

Carmen Marois

- Discute de l'utilité des ? avec tes camarades.
- Décris une activité que tu aimerais faire avec Chloé et Firmin.
- Discute avec tes camarades de leur prudence en patin.

- Observe des roues autour de toi.
- Comment arrivent-elles à rouler ? Comment sont-elles reliées entre elles ?

Expérimente toutes sortes de roues

1. Prépare ton modèle de roue sur la fiche qu'on te remet, à l'aide des questions qui s'y trouvent. Choisis la forme de roue que tu veux fabriquer.

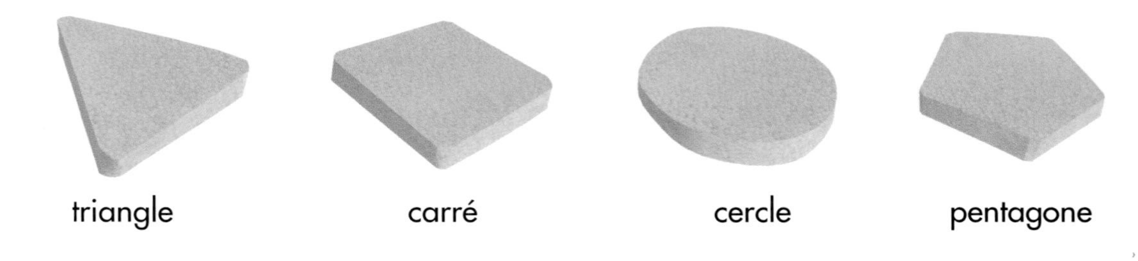

triangle carré cercle pentagone

2. Choisis un objet qui peut servir d'axe pour relier tes roues.

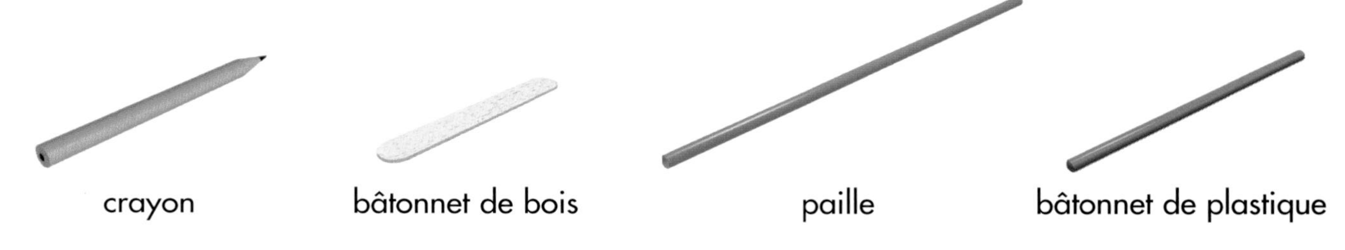

crayon bâtonnet de bois paille bâtonnet de plastique

3. Choisis un endroit pour fixer l'axe.

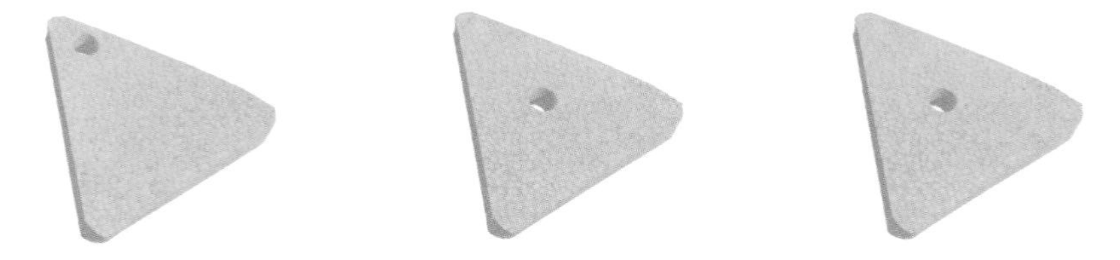

4. À présent, fabrique au moins deux roues identiques et relie-les entre elles par un axe. Fais-les rouler et compare tes observations avec celles de tes camarades.

- Quelles formes de roues roulent le mieux ?
- Qu'est-ce que tu as appris en faisant cette expérience ?

1. Observe l'illustration suivante. Comment nomme-t-on les mots entourés ?

Chloé et Firmin portent leur équipement sportif. Ils sont prêts à faire du sport en toute sécurité.

Dans mon baluchon

loup

ou

Jouons au loup. Hou ! Hou ! hulule le hibou.

STRATÉGIE

Avant de lire un texte, je regarde le titre pour avoir une idée de ce que je vais découvrir.

Les **enfants** font des **jeux** devant la **maison**.

Devant les **noms communs**, on peut mettre : l', la, le, les, un, une, des…

✎ c'est, il était, ils font, elles font, ils ont, elles ont, ils sont, elles sont

d'abord

enfin

ensuite

quelle

- Nomme des moyens qui te sont utiles pour mieux lire.
- Explique ce que tu as appris dans cette excursion.

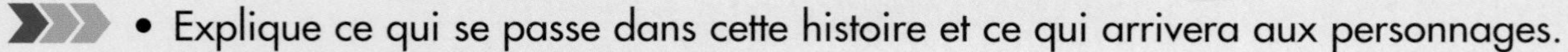

- Explique ce qui se passe dans cette histoire et ce qui arrivera aux personnages.
- Dis ce que tu sais de cette auteure.

Lis ce texte pour découvrir l'aventure de Somerset. Ensuite, précise ce que tu aurais ressenti à sa place. Ça t'aidera à réfléchir aux différentes façons de communiquer avec les autres.

19•2

La rencontre de Somerset

Il y a un nouveau directeur dans l'école du jeune garçon Somerset. Pauvre directeur ! Avec tous ces visages inconnus qui l'entourent, il doit se sentir bien petit dans ses souliers. Aujourd'hui, Somerset l'a rencontré…

Le directeur est en bas de l'escalier, moi en haut. Il s'apprête à monter, moi à descendre.

« Chouette ! Je me dis. Voilà l'occasion de lui souhaiter la bienvenue » […] ?

Que va-t-il faire

Bon. Ce n'est pas tout de le rencontrer, il faut lui dire quelque chose, au nouveau directeur. Mais quoi ? *Bonjour,* tout simplement.

Non. Pas *bonjour*. Je suis trop jeune. Il y a seulement les vieux qui disent *bonjour*. […] Alors qu'est-ce que je lui dis ? […]

Salut ?

Oui, *salut,* c'est bon. […] Mais *salut* quoi ? *Salut monsieur le directeur*? Non. Les deux ne vont pas ensemble. […]

Le directeur monte... Moi, je descends.

Salut ou *allô* ?

À bien y penser, *allô* est peut-être plus naturel. [...] ?

Va-t-il se décider à temps ?

Zut ! *Salut* ou *allô* ? *Allô* ou *salut* ?

Le directeur monte toujours... Il lève la tête et me sourit.

– Bonjour, dit-il.

Il a dit *Bonjour*. *Allô* ? *Salut* ? J'ouvre la bouche :

– *Sallô* !

Coup de tonnerre dans ma tête. Le monde bascule autour de moi. Sallô ? J'ai vraiment dit : « Sallô » ?

SALAUD !

SALAUD ! ! ! ?

Qu'est-ce qui ne va pas ?

Hélène Vachon, *Le cinéma de Somerset*, Saint-Lambert, Éd. Dominique et compagnie, 1997, p. 7-13. (Carrousel)

- Nomme les sentiments de Somerset avant, pendant et après la rencontre avec le directeur de l'école.
- Explique ce que tu aurais ressenti à la place de Somerset.

1. **Lis le texte suivant. Explique ensuite pourquoi certains mots sont entourés et dis comment s'appellent les mots qui les précèdent.**

Mon [père] dit toujours que les [bibliothèques] sont les [gardiennes] des [livres]. Aujourd'hui, c'est mon [anniversaire]. Je reçois un [livre] en cadeau. Chouette ! Je plonge tête première dedans et je le lis d'une [traite].

Hélène Vachon, Saint-Lambert, *Le délire de Somerset*, Éd. Dominique et compagnie, 1999, p. 7-8. (Carrousel)

Dans mon baluchon

Sur le p**on**t de l'école, **on** est bouff**on** et folich**on**. Oh n**on** !

allô	bonjour	en bas	en haut	salut

Sur le pont de l'école, on rigole...

Le [directeur] est en bas de **l'**[escalier].

Les **déterminants la**, **le**, **l'**, **les**, **un**, **une** et **des** précèdent les noms communs dans la phrase. Si on les enlève, la phrase est mal construite.

 dans, il y a, là, monter, non, oui

- Fais part des différentes façons de saluer les gens.
- Explique ce que tu as appris et aimé dans cette excursion.

• Rappelle-toi l'histoire de Somerset à l'aide de la montagne de récit ci-dessous.

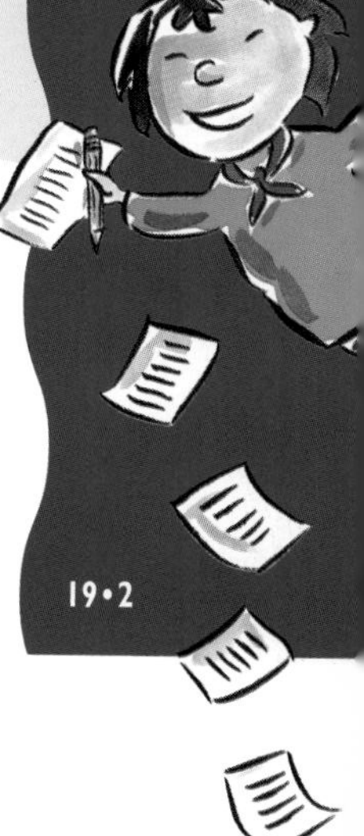

Écris un texte pour raconter comment Somerset peut réparer sa maladresse. Ça t'aidera à réfléchir à des façons de communiquer avec tes camarades et les adultes de ton école.

La suite de l'histoire de Somerset

1. Raconte l'histoire en te servant des illustrations des cases. Pour chacune d'elles, commence par : « Somerset est... parce que... »
2. Imagine une fin à cette histoire.

3. Écris la fin de cette histoire sur la fiche qu'on te remet.

4. Relis ton texte et vérifie-le à l'aide des questions qu'on te propose. Ensuite, améliore-le.

Dans mon baluchon

Dans une histoire, il y a un **début**, un **milieu** et une **fin**.
Pour chaque histoire, on peut imaginer plusieurs fins possibles.

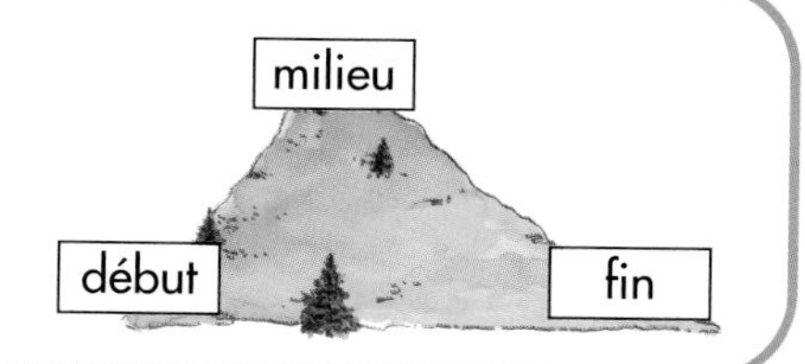

• Récris ton texte au propre et présente-le à ta classe.
• Explique ta plus grande difficulté en écriture.

- Explique ce qui se passe dans cette histoire et ce qui arrivera.
- Discute de l'utilité des illustrations avec tes camarades.

19•3

Lis ce texte pour découvrir ce qui arrive à Laurent. Explique ensuite ce que tu ferais à sa place. Ça t'aidera à mieux te faire connaître.

Tout un record !

C'est toujours pareil à l'école.
Chaque jour, j'entends :

« Cesse de gigoter, Laurent Tessier ! »
« Laurent, reste tranquille un instant ! »

Moi, j'en ai assez. Ce n'est pas vrai que j'ai un petit moteur dans le dos qui tourne, tourne. Moi, je suis capable de m'arrêter. Et je peux le prouver. ?

Que fera Laurent ?

Je vais établir un record d'immobilité !
J'ai déjà commencé. Je suis dans mon coin et je ne bouge plus. Le dos droit, je regarde devant moi. ?

Va-t-il réussir ?

Marilou se retourne pour me parler. Je ne bronche pas. Elle insiste. Mes lèvres restent collées, comme si elles étaient cousues ensemble. Marilou agite sa main devant mes yeux. Je la fixe de mon regard de robot. Marilou me pince le bras. Aïe ! Ça fait mal. Mais je ne dis rien. Marilou est surprise de me voir si immobile. ?

Marilou réussira-t-elle à faire bouger Laurent ?

La cloche sonne. Youpi !
Je peux recommencer à bouger.
La récréation est finie !

Lucie Bergeron

- Sur la fiche qu'on te remet, ordonne les principaux événements de ce texte.
- Décris ce que tu ferais à la place de Laurent.
- Communique oralement un défi amusant que ta classe pourrait relever.

1. **Observe les personnages du tableau ci-contre. Parle de ce qu'ils font et de ce qu'ils ne font pas.**

Exemple :
La marchande vend des pommes.
Elle ne vend pas de prunes.

19•3

La marchande de pommes, Pierre-Auguste Renoir, 1890, Cleveland Museum of Art, legs de Leonard C. Hanna Jr.

Comment aider mon enfant à mémoriser les mots d'orthographe ?

Demandez à votre enfant de vous donner en dictée les mots qu'il lui faut apprendre à écrire. En écrivant, exprimez des doutes et demandez l'aide de votre enfant à propos de la façon d'écrire les mots. Après la dictée, faites-lui faire la correction sans regarder les mots, si possible. Discutez ensemble des difficultés éprouvées.

Dans mon baluchon

Ce **g**arçon **g**i**g**ote des **g**enoux. A-t-il aperçu un loup-**g**arou dans le **g**arde-man**g**er ?

STRATÉGIE

Avant de lire un texte, je regarde les photos ou les illustrations pour avoir une idée de ce que je vais découvrir.

Laurent **ne** court **pas** dans l'école.

Le **verbe** est une sorte de mot qui peut être entouré de **ne** … **pas** ou de **n'** … **pas** dans une phrase.
Une phrase qui contient les mots **ne** … **pas** est une phrase négative.

✎ bras, devant, école, jour, main, yeux

assez

déjà

devant

jour

- Explique ce que tu as appris et aimé dans cette excursion.
- Explique ce que tu fais pour surmonter tes difficultés.

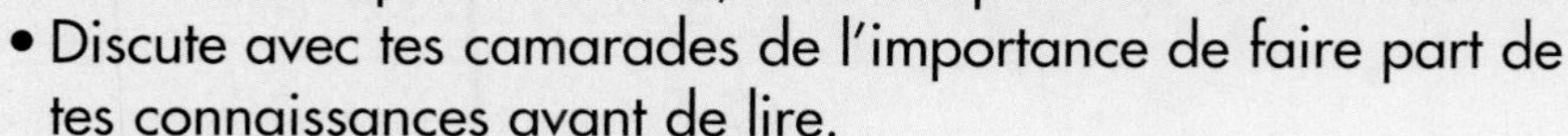

- Observe ce texte et explique de quoi il y est question.
- Sur la fiche qu'on te remet, note ce que tu sais sur les roues.
- Discute avec tes camarades de l'importance de faire part de tes connaissances avant de lire.

Lis ce texte pour découvrir comment les roues ont changé avec le temps. Vérifie ensuite tes connaissances sur le sujet. Ça te permettra de mieux connaître un objet familier.

Les roues d'hier, d'aujourd'hui et de demain

Comment c'était avant l'invention de la roue ?

Avant l'invention de la roue, on déplaçait certains objets en les tirant ou en les poussant. Ça devait être fatigant !

Puis on s'est aperçu que les objets se déplaçaient plus facilement si on les posait sur des troncs d'arbres. Il suffisait de les faire rouler !

19•4

Comment étaient les premières roues ? 

Les premières roues étaient faites entièrement en bois, ce qui les rendait très lourdes.

On a ensuite enlevé le bois au centre de la roue pour n'y laisser que des rayons. Puis on a inventé les pneus en caoutchouc. Les véhicules pouvaient alors rouler beaucoup plus vite.

Où voit-on des roues aujourd'hui ? 

Aujourd'hui, il y a des roues partout.

Les tracteurs ont de grandes et larges roues. Ils peuvent donc rouler dans les champs sans s'embourber.

Certains camions possèdent de nombreuses roues. Ainsi équipés, ils peuvent transporter de lourdes marchandises. Le poids se répartit alors entre toutes les roues.

2

19•4

Différents appareils renferment des roues.
Par exemple, à l'intérieur d'un magnétophone, des roues font tourner la cassette.
À l'intérieur de certaines montres, elles font tourner les aiguilles.

3

Comment seront les roues de l'avenir ?

Peux-tu imaginer comment serait la vie sans roues ? Les roues de demain seront-elles différentes de celles d'aujourd'hui ?

- Décris les roues d'autrefois et dis comment elles ont changé.
- Sur la fiche qu'on te remet, note ce que tu sais maintenant sur les roues.

1. **Nomme et classe dans un tableau tous les noms communs du schéma suivant.**

Noms communs au singulier	Noms communs au pluriel
camion	feux

Dans mon

baluchon

Opéra**tion** con**s**truc**tion** : les cam**ion**s gr**on**dent.

STRATÉGIE
Avant de lire un texte, je dis ce que je connais sur le sujet.

aujourd'hui	avant	comment	demain	plus tard	puis

Comment c'était avant **la** **roue** ? Où voit-on **des** **roues** aujourd'hui ?

Le nom commun et le déterminant sont au **singulier** quand ils désignent **une** seule chose.
Le nom commun et le déterminant sont au **pluriel** quand ils désignent **plusieurs** choses.
En général, les noms communs et les déterminants au pluriel s'écrivent avec un **s** à la fin.

✎ des, et, faire, sur

- Explique ce qui te paraît le plus important dans cette excursion.
- Nomme d'autres inventions aussi utiles que la roue.

- Que sais-tu sur le savon ?
- Observe différents pains de savon. Quelle est leur forme, leur couleur et leur odeur ?
- Selon toi, comment fabrique-t-on les pains de savon ?

19•5

Fabrique ton propre savon

1. Mélange 10 ml d'eau tiède et environ 40 g de détersif. Brasse le mélange jusqu'à ce que tu obtiennes une pâte.

a

2. Pense à ce que tu peux faire pour lui donner :
   - une forme ;
   - une couleur ;
   - une odeur.
3. Note ce que tu fais sur la fiche qu'on te remet.
4. Note aussi le temps nécessaire pour que ton savon devienne dur.

b

c

d

- Qu'est-ce qui peut donner une forme, une couleur et une odeur au savon ?
- Qu'est-ce qui est bien réussi dans ton savon ?
- Que changerais-tu dans ta façon de faire ?

• Survole ce texte et explique de quoi il y est question.

Lis ce texte pour découvrir comment le savon enlève la saleté des tissus.
Ça te permettra de mieux connaître un produit que tu utilises chaque jour.
Ensuite, dis ce que tu as appris sur les différentes façons de laver les vêtements.

19•5

Le savon

En pain, en liquide
ou en poudre,
le savon sert
à différents usages.

Si tu observes un morceau de tissu
au microscope, tu apercevras
de petits fils qui s'entrecroisent.

La saleté s'installe entre ces fils
et devient difficile à déloger.
Heureusement qu'il y a
les machines à laver !

Que fait une machine à laver ?

1. Au début du lavage, les vêtements sont agités dans la laveuse. L'eau savonneuse passe et repasse alors facilement entre les fils du tissu. ?

Et ensuite ?

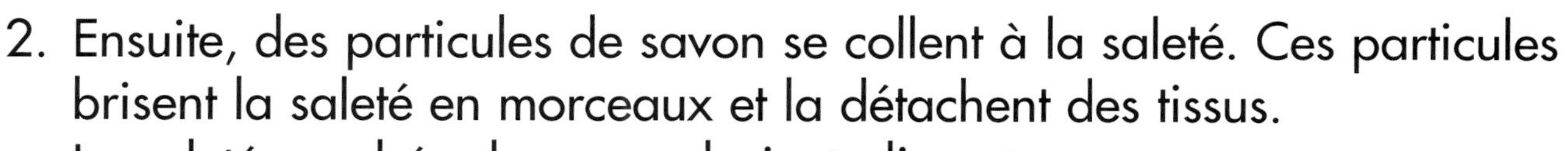

2. Ensuite, des particules de savon se collent à la saleté. Ces particules brisent la saleté en morceaux et la détachent des tissus. La saleté enrobée de savon devient glissante et ne peut donc pas coller sur un autre tissu.

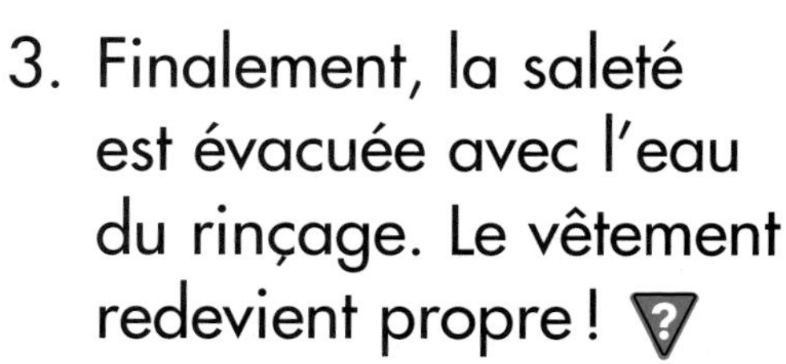

3. Finalement, la saleté est évacuée avec l'eau du rinçage. Le vêtement redevient propre ! ?

Que ferait-on sans machine à laver ?

- Redis dans tes mots comment le savon enlève la saleté.
- Explique ce qui est nouveau pour toi.

- Comment lavait-on les vêtements autrefois ?
- Comment le fait-on ailleurs ?

Ici et ailleurs

Autrefois, ici…

On frottait les vêtements sur une planche à laver.

On utilisait une machine à tordeur.

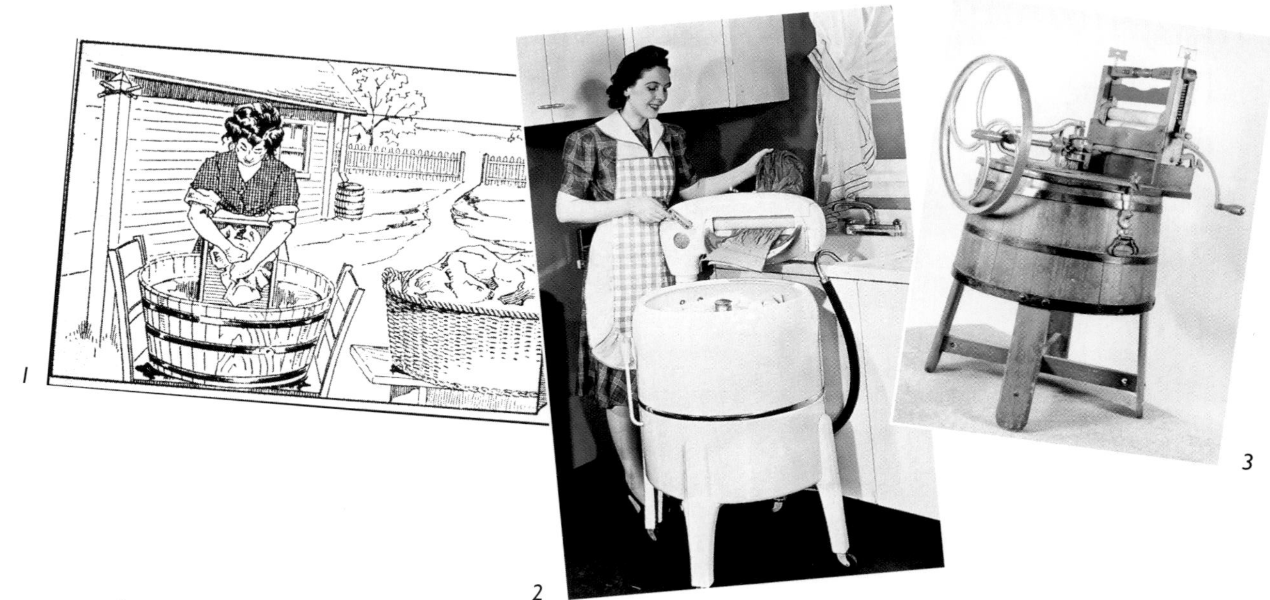

1

2

3

Ailleurs, dans certains pays…

On mouille les vêtements et on les piétine.

On frotte les vêtements sur une pierre.

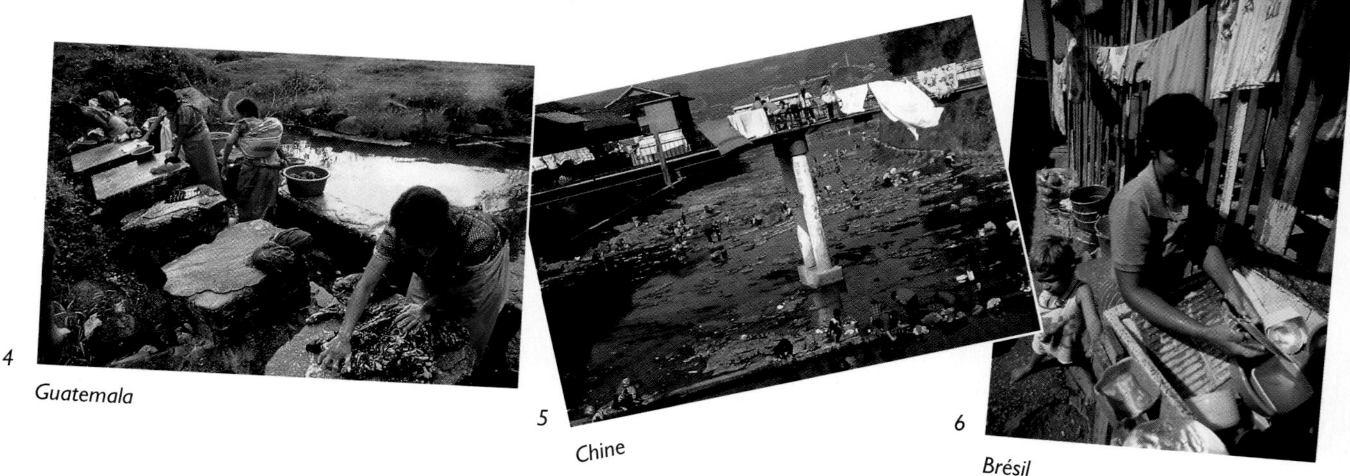

4 *Guatemala*

5 *Chine*

6 *Brésil*

- Qu'as-tu appris en observant les photos ?
- Que sais-tu maintenant sur la façon de laver les vêtements d'autrefois et d'ailleurs ?

1. Dans le texte suivant, qu'est-ce qui se cache derrière chaque tache ? Pourquoi ces taches sont-elles de différentes couleurs ?

Autrefois, on faisait d'abord chauffer ●'(eau) sur ● poêle.
Ensuite, on frottait et on brossait tout ● (linge) de ● (famille).
Après, c'était ● (rinçage), le séchage à ●'(extérieur)
et ● (repassage). Chaque brassée prenait toute ● (journée) !

D'après *La corvée du lundi*, Musée national des sciences et de la technologie, Canada, 1998.

2. Classe les noms entourés et leur déterminant dans un tableau semblable à celui-ci.

Mots au masculin	Mots au féminin
	la corvée

Dans mon baluchon

Que dit le savon **au** morc**eau** de tissu sale ? « À l'**eau** ! »

début
différent
différente
difficile

Une (machine) à laver agite **un** (vêtement) sale,
mais c'est **le** (savon) et **l'**(eau) qui font toute **la** (besogne).

Un nom est soit au masculin, soit au féminin.
Devant un nom commun **masculin**, on peut mettre le déterminant **un** ou **le**.
Devant un nom commun **féminin**, on peut mettre le déterminant **une** ou **la**.

avec, petit, petite, propre, puis

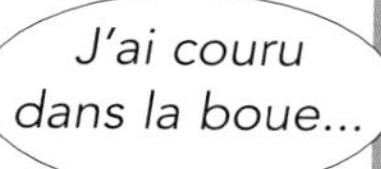

- Explique ce que tu as appris et aimé dans cette excursion.
- Nomme d'autres produits nécessaires à ton bien-être.

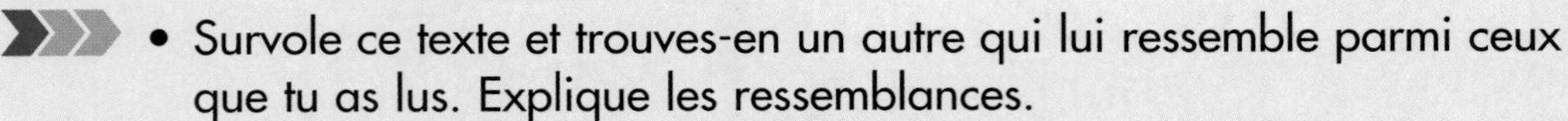

- Survole ce texte et trouves-en un autre qui lui ressemble parmi ceux que tu as lus. Explique les ressemblances.
- Nomme les personnages de ce texte. Dis ce qui leur arrive.

Lis ce texte pour découvrir ce qui arrive à Azimut et ses amis. Ensuite, tu mimeras cette histoire avec d'autres élèves. Ça te permettra de vivre une expérience d'équipe.

19•6

Le coffre au trésor

Azimut et Alizé sont tout excités. Dans la forêt, ils ont trouvé un gros coffre. Il y a peut-être un trésor à l'intérieur ! Le coffre est lourd, ils n'arrivent pas à le sortir de terre.

Que feront-ils ?

Ils vont chercher Zéphyr. Ils tirent tous ensemble… et hop ! le coffre est dégagé. Ils se bousculent pour l'ouvrir, mais ça ne sert à rien. Le coffre est fermé à clé. La serrure du coffre ressemble à une goutte d'eau.

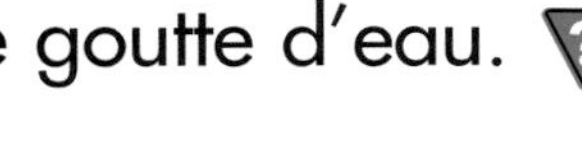

Qui iront-ils chercher cette fois ?

— Il faut demander à Azur la grenouille, dit Alizé.

Azur nage au fond du lac et réussit à trouver la clé. Elle revient, elle met la clé dans la serrure… et… clic ! le coffre s'ouvre.

Y a-t-il un trésor à l'intérieur ?

Tous se précipitent pour voir, mais ça ne sert à rien. À l'intérieur, il y a… un autre coffre verrouillé ! Zut !

La serrure de ce coffre-là a la forme d'une plume. 

Qui réussira à ouvrir ce coffre ?

19•6

— C'est l'oiseau Zénith qu'il nous faut, dit Azimut.

En volant de toutes ses forces, Zénith trouve la clé sur une branche. Il revient, il met la clé dans la serrure. Les compagnons sont tout énervés. Y a-t-il un trésor à l'intérieur ?

Le coffre s'ouvre. À l'intérieur, il y a un message… Il y est écrit que le travail d'équipe est un vrai trésor.

Serge Bureau

- Mime cette histoire en équipe et communique oralement tes impressions sur ce travail d'équipe.
- Nomme des gestes et des paroles qui seront utiles pour préparer le mime.
- Explique ce que tu penses du message trouvé par Azimut et ses amis.

1. **Explique ce que fait chaque personnage en deux phrases. Utilise le mot il, elle, ils ou elles.**

Exemple : Le père promène son bébé. Il marche vite.

Comment développer le goût de la lecture chez mon enfant ?

Voici quelques suggestions :

- *lisez ensemble, à tour de rôle, une phrase ou un paragraphe ;*
- *discutez des lectures que vous faites ensemble ;*
- *abonnez votre enfant à la bibliothèque municipale.*

Dans mon baluchon

Un **br**ave **pr**ince **tr**ouve un coff**r**e rempli de **dr**ôles de **cr**apauds qui **gr**ignotent des **fr**iandises.

ensemble	intérieur	peut-être	rien

Alizé arrive à la maison. **Elle** appelle **Azimut**.
Il répond rapidement. **Ils** pourront enfin jouer ensemble.

Les mots **il**, **elle**, **ils** et **elles** remplacent un ou plusieurs noms qu'on veut éviter de répéter.

 autre, gros, grosse, pour, terre

- Dis ce que tu penses de tes progrès en lecture.
- Dis ce que tu as préféré faire dans ce thème.

Ça fait peur

Ton projet

Présente une de tes peurs

Qu'est-ce qui te fait peur ?

- Quel animal t'effraie ?
- As-tu déjà lu des histoires inquiétantes ? Lesquelles ?
- Quels cauchemars as-tu déjà faits ?
- Comment peux-tu présenter une de tes peurs ?

Présente ta production et évalue-la avec la classe.

- Survole ce texte et explique ce que tu connais déjà de cette histoire.
- Dis ce que tu sais de ces auteurs.

Écoute la première partie du texte, puis lis la suite pour découvrir ce qui arrivera à Hansel et à Gretel. Ça te permettra de connaître un conte classique. Ensuite, dis ce que tu penses des actions des personnages.

20 • 1

Hansel et Gretel

À l'orée d'une grande forêt vivaient un bûcheron, sa femme et leurs deux enfants. L'homme était pauvre et n'arrivait pas à nourrir sa famille. Sa femme lui suggéra d'abandonner les enfants dans la forêt. Le bûcheron finit par accepter. Hansel et Gretel furent donc laissés seuls dans les bois. Heureusement, ils retrouvèrent leur chemin grâce à des cailloux que Hansel avait semés sur leur passage. La femme, mécontente de les revoir, suggéra à son mari de les abandonner à nouveau. Cette fois, les enfants suivirent un oiseau qui les mena à une petite maison recouverte de sucreries. Comme ils avaient très faim, ils eurent l'idée de la grignoter un peu. C'est alors que la porte s'ouvrit et qu'une vieille dame apparut. Hansel et Gretel bondirent d'effroi.

— N'ayez pas peur, mes petits enfants. Entrez dans ma maison. Vous n'aurez plus jamais faim.

La vieille dame invita les enfants à déguster un merveilleux repas et à manger des friandises de toutes sortes. À l'heure du coucher, elle leur prépara un lit douillet et les enfants s'endormirent aussitôt.

Le lendemain matin, tout était changé dans la maison. Il n'y avait plus de bonbons, plus de nourriture alléchante ni de feu pour se réchauffer. Même la vieille dame avait changé : elle ressemblait maintenant à une sorcière !

Qu'arrivera-t-il aux enfants ?

Elle enferma Hansel dans une cage et obligea Gretel à balayer la maison, à récurer les vieux chaudrons et à rentrer le bois pour le feu.

— Tu feras la cuisine pour ton frère. Lorsqu'il sera assez gras, je le mangerai ! dit-elle à Gretel.

Chaque jour, la sorcière vérifiait le petit doigt de Hansel. Mais il était toujours trop maigre. En vérité, la sorcière touchait un os de poulet que le garçon avait gardé d'un repas. Et comme la sorcière était très vieille, elle n'y voyait absolument rien !

Que fera la sorcière ?

20 • I

Fatiguée d'attendre, elle décida de manger Hansel même s'il n'était pas encore assez gras. Lorsque la sorcière ouvrit le four pour savoir s'il était bien chaud, Gretel se précipita sur elle et la fit basculer dedans.
Elle referma la porte et libéra son frère.

Avant de s'enfuir de la maison, les deux enfants découvrirent toutes les richesses que la sorcière avait cachées.
Ils crièrent de joie :

— Nous sommes libres !
Nous sommes riches !

Que feront les enfants à présent ?

D'après un conte de Jacob et Wilhelm Grimm.

- Dis ce qui est arrivé dans ce conte et explique pourquoi cette histoire n'est pas vraie.
- Sur la fiche qu'on te remet, indique ce que tu aurais fait à la place des personnages.

1. Lis le texte suivant. Nomme ensuite les mots qui indiquent comment sont la **fée**, les **souris**, les **chevaux** et la **citrouille**. Dis où ils sont placés dans les phrases.

La bonne fée donne un coup de sa baguette à six petites souris blanches qui se transforment en magnifiques chevaux ailés. Puis Cendrillon revient du jardin avec une belle citrouille orangée.

Dans mon baluchon

Quand l'ogre invit**ai**t la sorcière,
c'ét**ai**t pour déguster de l'**oi**e...
en levant le petit d**oi**gt.

alors | chaque | lorsque

enfant, fille, garçon, maison, porte

- Explique ce que tu as appris et aimé dans cette excursion.
- Nomme des contes classiques que tu connais et exprime tes préférences.

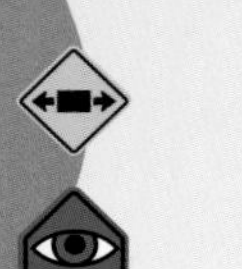

- Survole ce texte et explique de quoi il y est question.
- Sur la fiche qu'on te remet, note ce que tu sais sur le loup.

Lis ce texte pour mieux connaître le loup. Ensuite, dis ce que tu as appris à son sujet. Ça te permettra de mieux connaître un animal de ton environnement.

20•2

Le loup, un carnivore mal aimé

1

Dans les contes, le loup apparaît toujours comme un animal cruel, caché au fond des bois, qui pousse des hurlements en attendant sa victime… Souvenez-vous de ce qui arrive au Petit Chaperon rouge ! Mais le loup est-il vraiment méchant ?

Le loup n'est pas un animal cruel !

Qui est-il vraiment ?

Le loup est un grand carnivore. Il a besoin de manger beaucoup de viande pour vivre. Quand il chasse une proie, c'est uniquement pour se nourrir. Ce n'est jamais par plaisir.

Le loup ne hurle pas pour faire peur !

Pourquoi hurle-t-il ?

Hou… Hou… Le hurlement du loup s'entend à 10 kilomètres à la ronde. En fait, les loups hurlent tout simplement pour communiquer entre eux. Un loup répond toujours à l'appel d'un autre. C'est ainsi que commencent des concerts de hurlements.

2

Le loup n'attaque pas l'homme !

Qui attaque-t-il ?

La peur du loup date du Moyen Âge, car les loups dévoraient les cadavres des soldats morts à la guerre. Depuis, on pense que le loup attaque l'homme comme une proie. Mais c'est faux. Le loup a peur de l'homme : il s'enfuit à son approche.

Le loup n'est pas un animal solitaire !

Avec qui vit-il ?

Les loups vivent en meutes pour avoir plus de chances de capturer des grosses proies. Certains loups sont solitaires, car ils cherchent un territoire avant de former une meute.

Florence Dutruc-Rosset, « Sur la piste du loup », Paris, Bayard Presse, *Images Doc, Le magazine Découvertes*, n° 84, décembre 1995, p. 6-7.

- Discute avec la classe de ce qui te surprend le plus au sujet du loup.
- Sur la fiche qu'on te remet, note ce que tu sais maintenant sur le loup.

- Quels animaux sont illustrés dans cette page ?
- Lesquels te font peur ? Pourquoi ?

Des comportements d'animaux

1. Observe les illustrations suivantes et réponds aux questions.

a) Que fait chacun de ces animaux ?

b) Pourquoi agissent-ils de la sorte ?

c) Comment les classerais-tu ?

1
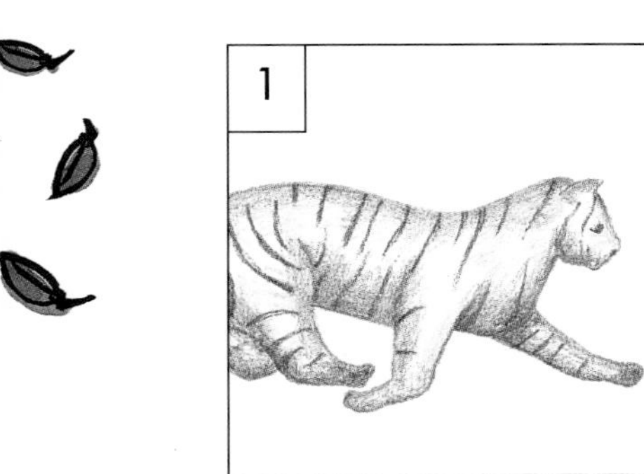
tigre

2
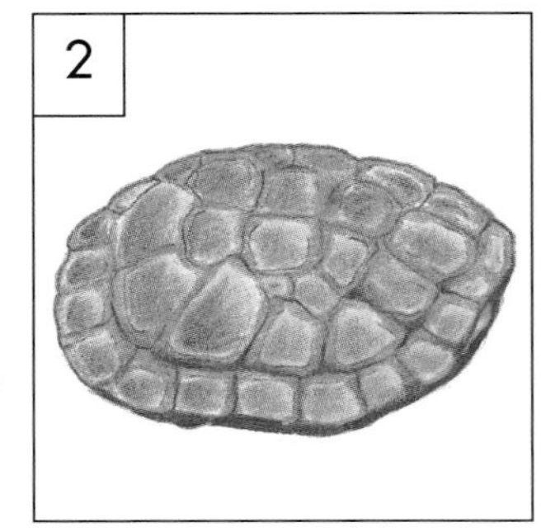
tortue

3
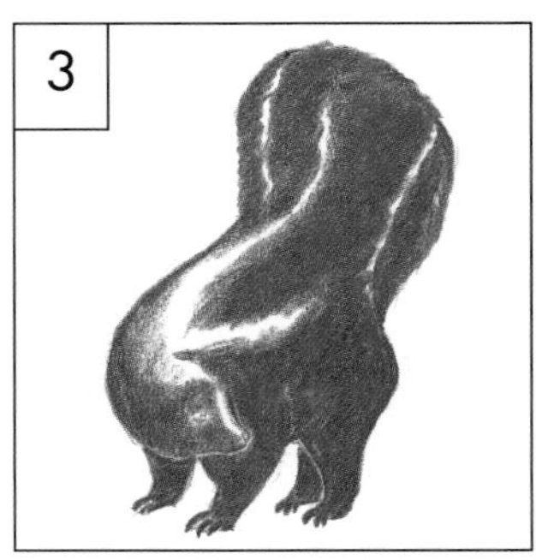
mouffette

4

chat

5
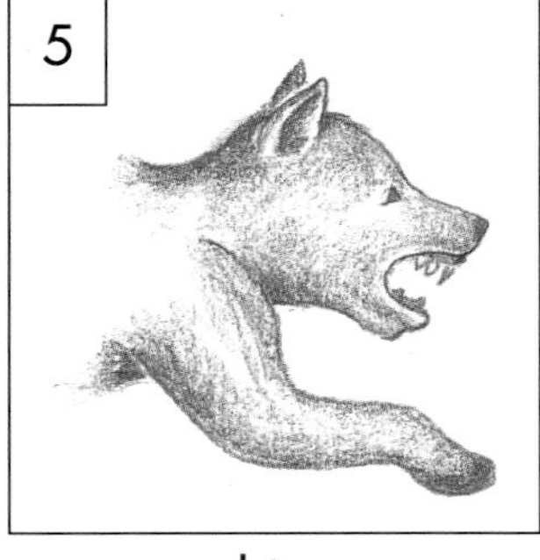
chien

6
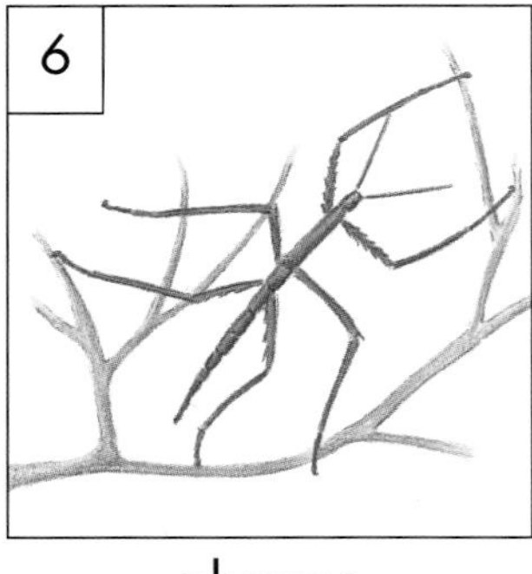
phasme

7
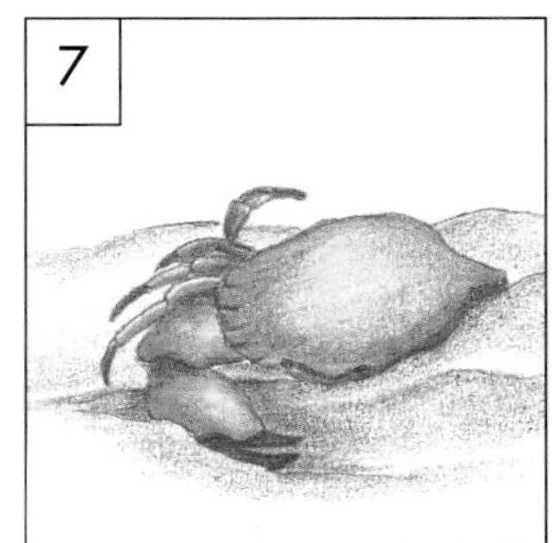
crabe

8

perdrix des neiges

2. Classe les animaux sur la fiche qu'on te remet, comme dans l'exemple suivant.

Pour se défendre, certains animaux...		
fuient	font fuir l'ennemi	passent inaperçus
tigre		

3. Ajoute les noms d'autres animaux que tu connais dans chaque catégorie.

- Qu'as-tu appris sur ces animaux ?

1. Lis ce texte sur les chauves-souris. Que peux-tu dire des mots entre crochets ? Discutes-en avec ta classe.

Étranges chauves-souris !

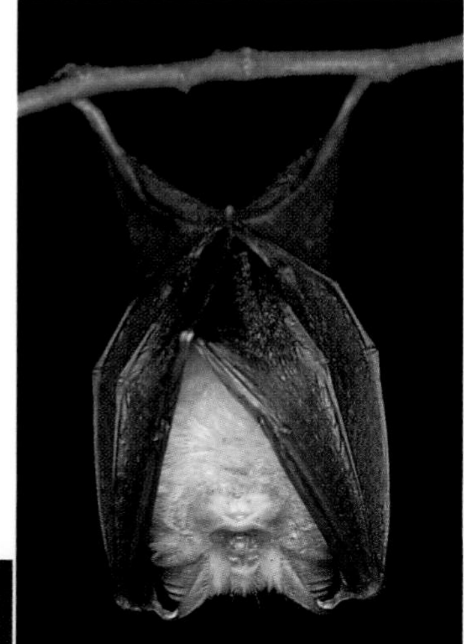

Nous avons un [petit] museau [retroussé],
des ailes [noires] et de [grandes] oreilles.

Autrefois, on nous croyait les amies [fidèles]
des [vilaines] sorcières.

Pourtant, nous sommes des bêtes [inoffensives] !

Je ne réveille jamais une chauve-souris qui dort !

Dans mon baluchon

Le loup hurle avant la **ch**asse.
Il a peur de l'homme qui s'appro**ch**e.

La chauve-souris se nourrit de [**petits**] insectes.

C'est un animal [**nocture**].

L'**adjectif** sert à décrire un nom. Il est placé avant ou après un nom commun.

aussi	jamais	plus	quand	toujours	très

- Fais le bilan de ce que tu as appris et aimé dans cette excursion.
- Dis ce que tu as appris sur la nature en présentant ton livre préféré sur les animaux.

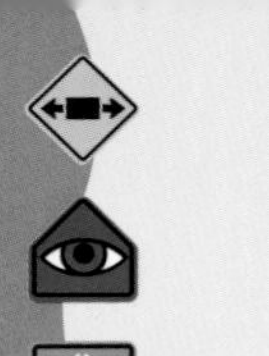

- Survole ce texte et explique où et quand se déroule l'histoire.
- Dis comment tu reconnaîtras la personne qui parle après chaque tiret.
- Dis ce que tu connais de Gilles Tibo.

Lis ce texte pour découvrir quelles excuses le petit géant invente pour dormir avec ses parents. Explique ensuite ce que tu fais lorsque tu as peur la nuit. Ça t'aidera à mieux te faire connaître.

20•3

Les cauchemars du petit géant

Je n'ai pas le droit de dormir avec mes parents. Mon père me l'a dit :

— Sylvain, tu ne dois pas dormir avec nous !

— Même si je fais un cauchemar très grave ?

— Seulement si tu es malade. ?

Que fera Sylvain ?

Alors, je tombe souvent malade en plein milieu d'un cauchemar. Je les rejoins et je me faufile entre les deux. Ma mère dort comme une bûche. Mon père marmonne :

— Que se passe-t-il, Sylvain ?

— Rien… je suis malade !

— Malade de quoi ?

— Malade du rhume et un peu du nez !

J'ai déjà été malade d'un bobo dans la gorge, d'un rhume des oreilles et du mal de cœur de la tête au complet. En plus, j'ai déjà souffert de la maladie des pieds froids, d'un mal de ventre sous les fesses et d'une crampe dans la gorge... ▽

Qu'est-ce que ces maladies ?

Mon père sait toujours si je suis malade pour vrai. Il pose sa grosse main sur mon front et il attend.

Il ne se trompe jamais. Il murmure toujours :

— Gnn... Gnn... Gnn...

Puis il me transporte dans mon lit froid. Je lui demande :

— Viens-tu dormir deux minutes avec moi ?

Il répond toujours la même chose :

— Bonne nuit, mon grand ! ▽

Que pense Sylvain maintenant ?

Bonne nuit ! Bonne nuit ! Facile à dire. Moi, je voudrais dormir dans un lit si petit que les monstres et les bêtes féroces ne pourraient pas se cacher dedans !

Gilles Tibo, illustrations de Jean Bernèche, *Les cauchemars du petit géant*, Boucherville, Éditions Québec Amérique Jeunesse, 1997, p. 13-18. (Mini-Bilbo)

- Explique le problème du petit géant.
- Décris ce que tu fais lorsque tu as peur la nuit.
- Discute de l'utilité des ▽ avec tes camarades.

1. **Quel personnage, objet ou animal pourrait correspondre à chaque groupe d'adjectifs ?**

a) ronde, croquante

b) léger, transparent

c) grand, affamé

d) méchante, laide

20 • 3

2. **Classe les adjectifs de l'activité précédente dans un tableau semblable à celui-ci.**

Adjectifs au masculin	Adjectifs au féminin
grand	

Dans mon baluchon

Ma petite s**œur** a mal aux y**eu**x et a un n**œu**d dans l'estomac ! Vite, chez le doct**eur** !

seulement	souvent	vrai

Ma main [**froide**] s'agite dans mon lit [**froid**].

L'adjectif est soit au **féminin**, soit au **masculin**.

 dire, j'ai été, je fais, tu es, il dit, il fait, elle fait, malade, père

- Explique ce que tu as appris dans cette excursion.
- Discute de ce que tu as préféré dans ce thème.

• À partir du texte *Les cauchemars du petit géant*, imagine une maladie semblable aux siennes.

Écris une lettre pour décrire ta maladie imaginaire. Ça te permettra d'exprimer tes émotions lors d'un événement particulier.

Une maladie imaginaire

1. Lequel des deux textes suivants est une lettre ?
2. Dans quelle partie de la lettre le petit géant décrit-il sa maladie ?

Nom de la maladie :
maladie des pieds froids.
Fréquence de la maladie :
toutes les nuits.
Signes de la maladie :
pieds énormes, icebergs au bout des orteils.

Laval, le 30 octobre 2001

Cher docteur,

Toutes les nuits, mes pieds deviennent énormes. Des icebergs poussent au bout de mes orteils. Je me promène pour les faire fondre, mais ça ne fonctionne pas.

Pouvez-vous m'aider ? Merci !

Sylvain, le petit géant

3. Sur la fiche qu'on te remet, écris une lettre pour décrire ta maladie.

4. Relis ton texte et vérifie-le à l'aide des questions qu'on te propose. Ensuite, améliore-le.

Dans mon baluchon

Une lettre est un texte qu'on écrit lorsqu'on veut :
- exprimer ses idées ;
- demander des renseignements ;
- avoir des nouvelles de quelqu'un.

- Récris ton texte au propre et présente-le à un ou à une camarade.
- Demande-lui son opinion sur ta maladie imaginaire.

Faisons le point ensemble

Dans mon baluchon

Je veux lire avec mes amis.

Voici les mots à lire d'un seul coup d'œil vus jusqu'à présent.
Avec tes camarades , invente des façons de les revoir.

allô
alors
assez
aujourd'hui
aussi
autour
avant
bonjour
chaque
cinq
comment
d'abord
début
déjà
demain
deux
devant
différent
différente

difficile
en bas
enfin
en haut
ensemble
ensuite
intérieur
jamais
jour
lorsque
moi
moins
peut-être
plus
plus tard
pourquoi
puis
quand
quatre

quelle
quelque chose
quelqu'un
qui
qu'il
quoi
rien
salut
sept
seulement
six
souvent
toi
toujours
très
trois
un
vrai

Que penses-tu de ta façon de lire ces mots ? Indique le visage qui correspond à ta réponse et explique ton choix.

Ton projet

Raconte l'histoire de...

Connais-tu l'histoire d'un de tes parents, grands-parents ou arrière-grands-parents ? Présente-la.

- Quelle personne choisis-tu ? Pourquoi ?
- Quels sont les souvenirs les plus importants de sa vie ?
- Quels objets utilisait-elle couramment dans sa jeunesse ?
- Que sont devenus ces objets à présent ?

Présente ta production et évalue-la avec ta classe.

- Explique ce que tu peux faire pour te préparer à lire ce texte.
- Dis ce que tu sais de cette auteure.

21•1

Lis ce texte pour découvrir des souvenirs d'enfance d'une grand-maman. Compare ensuite tes goûts avec ceux de Mme Major. Ça te permettra de réagir à des situations courantes de la vie d'autrefois.

Les voitures de mon enfance

Quand je pense à mon enfance dans un quartier populaire de Montréal, je revois dans ma tête les voitures à chevaux.

C'étaient des bêtes patientes qui circulaient lentement et semblaient résignées à s'arrêter souvent. Parmi tous ces équipages, j'avais mes deux préférés.

Résignées ?

La première voiture que j'attendais avec impatience s'annonçait par un long sifflement. C'était celle du vendeur de pommes de terre frites. Elle s'avançait doucement au pas d'un vieux cheval. Un cuisinier au tablier blanc parsemé de taches nous faisait des signes. Il nous servait pour cinq cents des frites bien grasses dans des petits sacs de papier. Je n'en ai jamais goûté de meilleures !

Parsemé ?

La deuxième était encore plus excitante. Par les beaux soirs d'été, il arrivait que notre père nous fasse une surprise. Il allait louer dans une rue voisine une petite carriole ? tirée par un poney. Quel plaisir de défiler dans les rues du quartier dans cet équipage ! Faisant des signes de la main à nos voisins et amis, nous nous sentions comme des reines, mes sœurs et moi.

Carriole ?

Depuis ce temps, les voitures tirées par des chevaux ont presque toutes disparu des rues de ma ville. Il reste des calèches à bord desquelles on promène les touristes ?. Il m'est arrivé d'y monter pour un petit voyage au pays de mon enfance.

Touristes ?

Henriette Major

- Dis ce que tu penses des récits où une personne raconte des moments de sa vie.
- Raconte un événement de ta vie à un ou à une de tes camarades.
- Sur la fiche qu'on te remet, indique quelques souvenirs de Mme Major.

21 • 1

- Que sais-tu des moyens de transport d'autrefois? des moyens de transport utilisés ailleurs dans le monde?
- Comment as-tu appris ce que tu sais?
- Que veux-tu savoir de plus?

Ici et ailleurs

Autrefois, ici...

Les chevaux tiraient des voitures ou des traîneaux.

Les premières automobiles sont apparues il y a environ 100 ans.

1

Les tramways transportaient les gens, hiver comme été.

2

Ailleurs, dans certains pays...

On tire ou on pousse des voitures.

Les trains à grande vitesse (TGV) transportent des centaines de gens.

3

Bangladesh

4

France

- Qu'as-tu appris en observant les photos?
- Que sais-tu maintenant sur les moyens de transport d'autrefois et d'ailleurs?
- Que peux-tu faire pour en apprendre davantage?

1. **Nomme les adjectifs de ces groupes de mots. Ensuite, classe-les dans un tableau semblable à celui qui suit.**

21•1

Adjectifs au singulier	Adjectifs au pluriel
noire	noires

 **Dans mon baluchon**

Casimi**r** peut sauter ou s'**ar**rêter. Mais il ne peut pas galoper…
C'est s**ûr** ! Casimi**r**, c'est mon cheval b**er**çant !

STRATÉGIE
Si je ne comprends pas un mot, je peux demander de l'aide.

Le cheval [**noir**] galope sous les nuages [**noirs**].
L'adjectif est soit au **singulier**, soit au **pluriel**.

 ami, amie, auto, beau, belle,
blanc, blanche, cheval, chevaux, frère, sœur, train

- Explique ce que tu as appris dans cette excursion.
- Dis ce que tu penses de la vie d'autrefois.
- Dis en quoi cette excursion t'aide à faire ton projet.

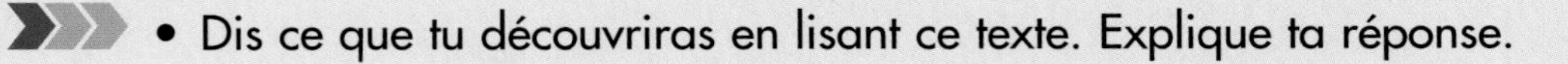

Lis ce texte pour savoir comment l'ours en peluche a été inventé. Ensuite, tu pourras vérifier ce que tu as compris de cette histoire. Ça te permettra de découvrir comment naissent parfois les inventions.

21•2

L'invention de l'ours en peluche

Autrefois, il y avait plein d'ours sauvages. Ils attaquaient souvent les troupeaux de moutons. Alors, les bergers les chassaient et les tuaient.

Parfois, les hommes emportaient un bébé ours pour l'élever, quand ils avaient tué sa maman. Une fois l'ourson devenu grand, on le montrait dans les foires de différents villages. Les gens donnaient de l'argent pour le voir se mettre debout ou faire des cabrioles. On lui mettait une muselière pour qu'il ne morde pas les spectateurs.

Muselière ?

À force de voir des ours, les gens ont commencé à les aimer. On a fait des ours sculptés, et on a décoré toutes sortes d'objets avec des ours : des cendriers, des parapluies… On a fabriqué aussi des ours mécaniques. C'était comme des jouets pour les adultes. Mais il n'y avait pas encore d'ours en peluche pour les enfants.

Sculptés ?

1

Théodore Roosevelt

On raconte qu'un jour, il y a 100 ans, le président des États-Unis, qui s'appelait Teddy Roosevelt, était parti chasser. Soudain, il s'est trouvé nez à nez avec un ourson mais il a refusé de le tuer.

On a raconté cette histoire dans les journaux. Tout le monde admirait ce président qui avait sauvé un ourson. Dans le pays, on ne parlait que de ça !

Un marchand de jouets a eu l'idée de fabriquer un ours, le premier ours en peluche. Il l'a appelé Teddy, comme le président des États-Unis.

Alors on a fabriqué des ours en peluche par milliers. Et depuis, l'ours est le joujou préféré des enfants.

Bertrand Fichou, « L'invention de l'ours en peluche », Paris, © Bayard Presse, *Youpi*, n° 123, décembre 1998, p. 22-27.

2

Jeux d'enfants, il y a une centaine d'années.

- Dis ce qui te surprend le plus dans ce texte.
- Sur la fiche qu'on te remet, note comment l'ours en peluche a été inventé.

21•2

1. **Décris les articles de ces magasins en utilisant chaque fois un déterminant, un nom et un adjectif. Classe-les dans un tableau semblable à celui qui suit.**

Mots au masculin	Mots au féminin
un ballon rouge	une voiture téléguidée

2. **Quelle est la différence entre ces deux magasins ?**

Dans mon baluchon

À quoi sert le **tél**é**phone** ? À parl**er** sans se montr**er** le bout du nez !

L'ourson est **le** **toutou** **[préféré]** de **cette** **[petite]** **fille**.

Lorsque le déterminant, le nom commun et l'adjectif sont liés, ils sont soit au **masculin**, soit au **féminin**.

Allô, Alizé ?

animal, animaux, comme, femme, homme, montagne, nez, parfois, premier, première

• Explique ce que tu as appris dans cette excursion.

- Nomme une invention dont tu aimerais connaître l'histoire.
- Explique ce que tu sais de certaines découvertes et dis comment tu l'as appris.
- Explique ce que tu dois faire.

Écris un texte pour raconter l'histoire d'une invention. Ça te permettra de te questionner sur certaines découvertes scientifiques.

21•2

L'histoire d'une invention

1. **Lequel des deux textes suivants raconte comment l'ours en peluche a été inventé ?**

Invention de l'ours en peluche

Origine : Le président des États-Unis refuse de tuer un ourson.

Date : il y a 100 ans.

Utilité : amuser les enfants.

Invention de l'ours en peluche

Il y a environ 100 ans, le président des États-Unis a refusé de tuer un ourson. Tout le monde a parlé de cette histoire. Un marchand a eu l'idée de fabriquer un ours en peluche. Depuis ce temps, les ours en peluche amusent les enfants.

2. **Écris l'histoire d'une invention sur la fiche qu'on te remet. Utilise les renseignements qu'on te fournit sur cette invention.**

3. **Relis ton texte et vérifie-le à l'aide des questions qu'on te propose. Ensuite, améliore-le.**

Dans mon baluchon

STRATÉGIE

Avant d'écrire, j'essaie de répondre à des questions :
- Pourquoi est-ce que j'écris ?
- Qu'est-ce que j'écris ?

- Écris ton texte au propre et présente-le de façon originale.
- Dis ce que tu as aimé faire dans cette situation d'écriture.

- Observe la présentation de ce texte et explique ce que tu vas y découvrir en t'aidant des intertitres.
- Dis ce que tu sais de Mozart.

Écoute l'introduction, puis lis le texte pour savoir pourquoi Mozart a été un enfant célèbre et un grand musicien. Ensuite, tu te rappelleras les événements importants de sa jeunesse. Ça te permettra de découvrir pourquoi on gagne à poursuivre ses rêves.

Le petit Mozart

Mozart

Wolfgang Amadeus Mozart était un grand musicien.

Il est né en 1756, en Autriche. C'est en regardant sa sœur qu'il apprend à faire de la musique. En effet, un jour, tout bonnement, il décide de jouer du clavecin. Alors il s'installe devant l'instrument, et surprise ! Non seulement il joue exactement ce que sa sœur vient de jouer, mais il improvise ses propres mélodies ! Et Mozart n'a que… quatre ans !

Célèbre à six ans

Mozart est assez bon musicien pour jouer devant l'empereur !
Il se rend donc à Vienne, et sonne à la porte du palais !
L'empereur lui demande d'exécuter
un morceau sans regarder
ni l'instrument, ni ses mains !
Et pour plus de sûreté,
il recouvre le clavier
à l'aide d'un grand tissu.

Exécuter ?

Le petit Mozart joue sans aucune difficulté ! C'est un triomphe ! L'empereur, émerveillé, le salue et lui offre une montre en or !

Chez le roi de France

Mozart a maintenant sept ans ! Son père, fier de lui, veut le présenter au monde entier ! Le jour de Noël, ils arrivent en France, au château de Versailles… Le roi est de fort joyeuse humeur, et Mozart est invité, à condition de jouer à la fin du dîner. Et il joue si bien que chaque note ressemble à un diamant ! Toute l'assistance en tremble d'émotion, et le roi s'exclame : « Bravo ! Vous avez illuminé notre Noël ! Vive Mozart ! »

Assistance ?

21•3

Le baiser de la reine d'Angleterre

Un an plus tard, Mozart quitte la France et se rend en Angleterre ! À Londres, il est reçu par la famille royale. La reine Charlotte, qui a une très belle voix, lui demande de l'accompagner au clavecin pendant qu'elle chante. À la fin, la magie de Mozart a encore fait son effet ! La reine est si émue qu'elle lui offre un cadeau qu'il n'oubliera pas de sitôt : un gros baiser !

Émue ?

Yann Walcker, *Wolfgang Amadeus Mozart*, Paris, , p. 9-15. (Découvertes de musiciens)

Mozart a voyagé dans le monde entier. Il a composé de la musique de chambre, des symphonies et des opéras. C'est d'ailleurs lui qui a écrit la musique de la chanson *Ah vous dirais-je maman*. Mozart est mort en 1791, mais aujourd'hui on joue encore sa musique.

- Dis ce qui t'impressionne le plus dans ce texte.
- Indique les événements importants de l'enfance de Mozart.

1. **Lis le texte suivant et explique dans tes mots la stratégie utilisée par Azur.**

Alizé s'exerce à jouer d'un nouvel instrument.
*C'est la cacophonie ! *
Ouf ! pauvres oreilles !

Que veut dire ce mot ? Je ne le sais pas. Je vais poursuivre ma lecture pour voir si ça peut m'aider.

Ah oui ! je comprends ! **Cacophonie** veut dire « des sons qui ne vont pas bien ensemble ».

Dans mon baluchon

Un magic**ien** pe**in**t un sap**in** en écoutant une music**ienne** jouer du clavec**in**.

STRATÉGIE

Si je ne comprends pas un mot, je poursuis ma lecture et je regarde les autres mots autour.

Wolfgang Amadeus Mozart est né en Autriche.

Un nom propre commence par une lettre majuscule.
Il désigne le nom d'une **personne**, d'un animal ou d'un lieu.

Je suis Wolfgang Amadeus Zéphyr !

 famille, joyeuse, joyeux, monde, reine, roi

- Explique ce qui t'a plu dans cette excursion.
- Pense à ce que tu peux faire aujourd'hui pour réaliser un de tes rêves.

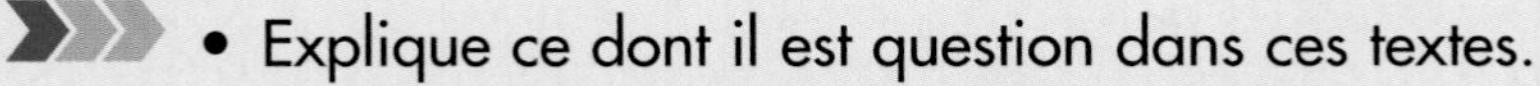

- Explique ce dont il est question dans ces textes.
- Dis ce que tu sais de ce genre de texte.
- Explique ce que tu pourrais faire après avoir terminé ta lecture.

Lis ces poèmes pour découvrir de belles façons de parler du temps qu'il fait à l'approche de l'hiver. Ensuite, tu indiqueras ce que tu préfères dans ces poèmes. Ça t'amènera à explorer ton environnement en ce temps de l'année.

21•4

Poésie du temps gris

Les sons de la pluie

J'entends les sons de la pluie
Ma vitre résonne de bruits
Mes yeux viennent s'y mouiller
Comme le trottoir tout craqué

Résonne?

J'entends les sons de la pluie
À ma fenêtre je m'ennuie
Dehors l'automne est glacé
Et les passants trop pressés

Passants?

J'entends les sons de la pluie
Sur le matin d'un samedi
Mes mains voudraient bien chanter
Je les laisse dessiner

Comme les sons de la pluie
Sur les bateaux endormis
Mon lit a parfois l'idée
De partir sur la mer salée

Raymond Plante, *Clins d'œil & pieds de nez*, Montréal, Les éditions de la courte échelle, 1982.

La neige

Regardez la neige qui danse
Derrière le carreau ? fermé.
Qui là-haut peut bien s'amuser
À déchirer le ciel immense
En petits morceaux de papier?

Carreau?

Pernette Chaponnière, *L'écharpe d'iris*,
Paris, © Hachette livre, 1990, p. 43.
(Le Livre de poche jeunesse)

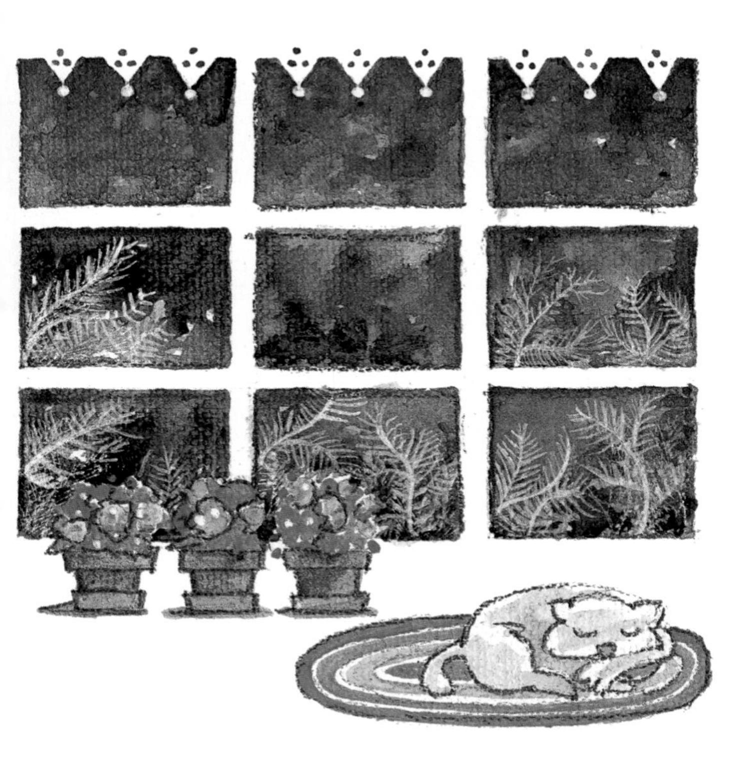

Il gèle

Les fleurs de la gelée
Sur la vitre étoilée ?
Courent en rameaux blancs,
Et mon chat qui grelotte
Se ramasse en pelote
Près des tisons croulants.

Étoilée?

Théophile Gautier, *Poésies, comptines et chansons pour Noël*,
Paris, © Gallimard Jeunesse.

- Explique lequel de ces trois poèmes t'a semblé plus difficile à comprendre.
- Note les phrases ou les expressions que tu préfères dans ces poèmes.
  Discutes-en avec tes camarades.

- Sous quelle forme trouves-tu de l'eau en hiver? en été?
- Parmi les formes suivantes (pluie, rosée, givre, neige, brouillard), lesquelles sont à l'état solide? à l'état liquide?
- Selon toi, qu'est-ce que chaque expérience te permettra de découvrir?

Expérimente des changements dans l'état de l'eau

1. Fais les expériences suivantes. Quels changements observes-tu? Note tes observations sur la fiche qu'on te remet.

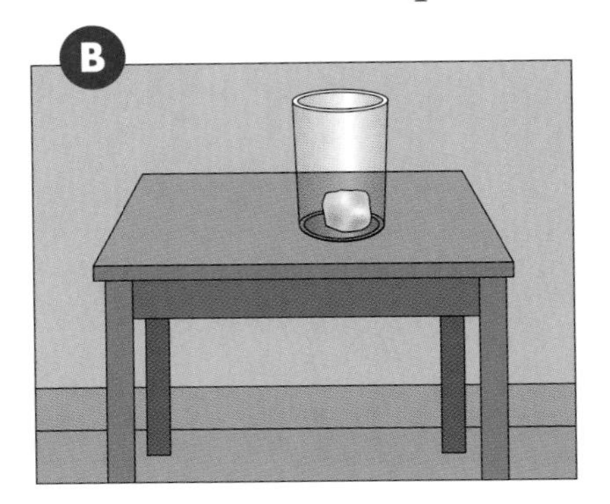

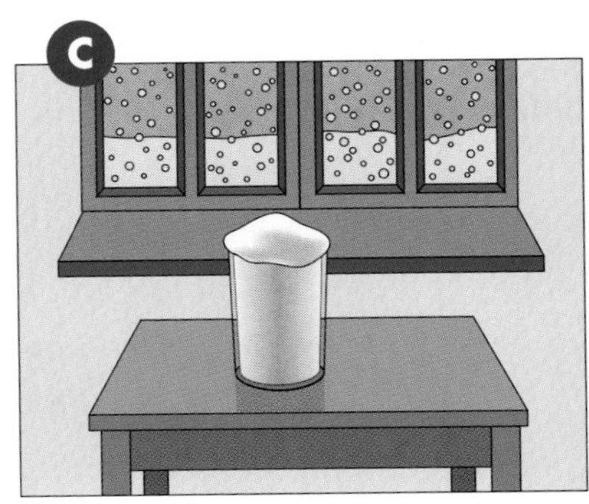

2. Fais maintenant les expériences suivantes. Quels changements observes-tu? Note-les aussi sur la fiche.

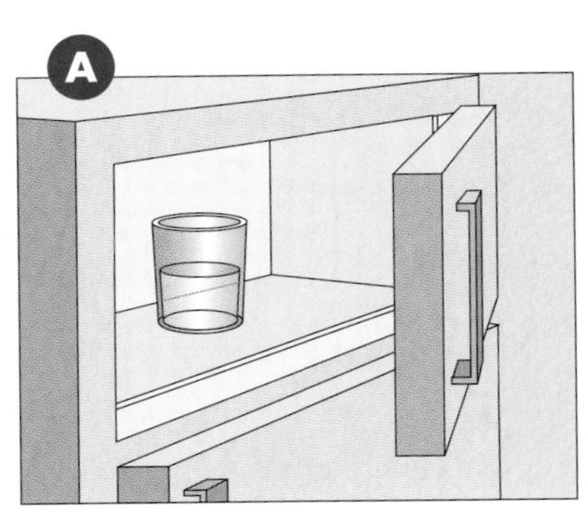

3. Compare tes résultats avec ceux de tes camarades.

- En quoi les expériences des numéros 1 et 2 sont-elles semblables? En quoi sont-elles différentes? Discutes-en avec ta classe.
- Que sais-tu maintenant sur les différents états de l'eau (liquide, solide, gazeux)?

1. Associe chaque partie de l'illustration à une phrase. Nomme la lettre et le numéro de phrase appropriés.

1. Antonella observe l'hiver par les fenêtres fermées.
2. Les chatons se cachent sous la carpette verte.
3. Les petits chats se cachent sous les carpettes vertes.
4. Sue observe l'hiver par la fenêtre fermée.

Dans mon baluchon

Les gouttes de pluie me chatouillent !

La **pluie** à min**ui**t taquine le r**ui**sseau.

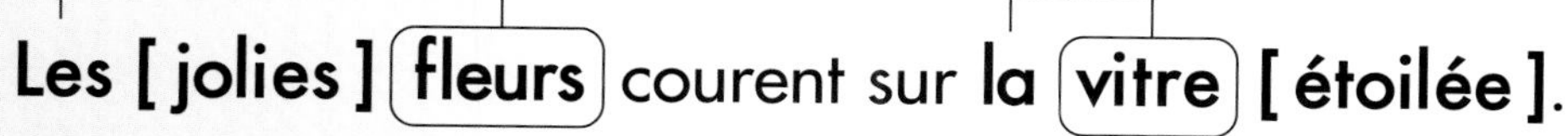
Les [jolies] fleurs courent sur **la vitre [étoilée]**.

Lorsque le déterminant, le nom commun et l'adjectif sont liés, ils sont soit au **singulier**, soit au **pluriel**.

 fenêtre, neige, papier, pluie, samedi

- Explique ce que tu as appris dans cette excursion.
- Nomme ce que tu aimes voir, entendre, toucher, sentir et goûter à ce temps-ci de l'année.

- Explique ce que tu connais déjà de cette histoire.
- Dis ce que tu sais de l'auteur de ce conte classique.

Lis ce texte pour connaître ce qui arrive à la petite fille de ce conte classique. Ensuite, compare des événements de ta vie avec ceux qui arrivent à ce personnage. Ça t'aidera à réfléchir à l'importance de respecter les différences.

La petite fille aux allumettes

C'était l'hiver et il faisait froid…

« Allumettes à vendre ! Qui veut acheter mes allumettes ? » criait la petite fille.

Mais personne ne s'intéressait à elle. Au contraire, au moment où elle s'apprêtait ▽ à traverser la rue, un gros commerçant, les bras pleins de paquets, la bouscula et la fit tomber, renversant toutes les allumettes sur le trottoir.

S'apprêtait ?

« Laissez-moi passer ! » cria-t-il d'un ton brusque avant de disparaître à grands pas dans la foule, sans même jeter un regard à la petite fille. Le gros homme était pressé de rentrer dans sa maison bien chauffée où l'attendait un bon dîner.

La petite fille s'agenouilla ▽ dans la neige pour ramasser ses allumettes. Autour d'elle, les passants se bousculaient.

S'agenouilla ?

Des gens riches, bien habillés et bien nourris, étaient très occupés à courir d'un magasin à l'autre. C'était la veille de Noël et les étourdis s'empressaient ▽ d'acheter leurs derniers cadeaux.

S'empressaient ?

Lorsque les cloches de l'église sonnèrent quatre heures, la rue se remplit d'enfants. Comme ils étaient gais et joyeux, et comme la petite fille aux allumettes aurait voulu être avec eux ! Elle aurait tant aimé être invitée à boire un bon chocolat chaud, près d'une grande cheminée chauffée au feu de bois.

Mais aucun des enfants ne remarqua la petite fille pauvre qui les regardait en écarquillant ▽ les yeux.

Écarquillant ?

Hans Christian Andersen, *Il était une fois... La petite fille aux allumettes*, Paris, Éditions Fabbri, 1990, p. 3 et 5.

- Raconte ce qui arrive dans ce conte et explique pourquoi il est triste.
- Compare la vie de cette petite fille avec la tienne sur la fiche qu'on te remet.
- Présente un personnage triste d'un autre conte et communique oralement ce qui lui arrive.

1. **Associe chaque case de la montagne du récit à une phrase du conte *La petite fille aux allumettes.* Nomme la lettre qui doit accompagner chaque chiffre.**

a) La petite fille ramasse ses allumettes.

b) Les enfants ne la remarquent pas.

c) Un monsieur la bouscule et fait tomber ses allumettes.

d) Elle observe les enfants qui jouent et rêve d'être avec eux.

e) C'est l'hiver. Une fillette vend des allumettes.

Dans mon baluchon

Un **c**itron sur une balan**ç**oire
arrive à se balan**c**er
sans se **c**asser le **c**ou !

 chaud, chaude, feu, froid, froide, mais, même, pauvre

- Avec un ou une camarade, discute de l'importance de respecter les différences entre les gens et les peuples.
- Fais le bilan de ce que tu as appris et aimé dans ce thème.

Ton projet

Fabrique un jouet

Que peux-tu fabriquer d'amusant ? Construis un jouet extraordinaire.

- Quel jouet veux-tu fabriquer ?
- Est-ce un jeu de construction ? un jeu d'adresse ? un jeu de société ? un autre type de jeu ?
- De quel matériel as-tu besoin pour le fabriquer ? Du papier, des contenants de plastique, de métal ou de carton, du bois, de vieux journaux, des cintres, du tissu ?

Présente ta production et évalue-la avec ta classe.

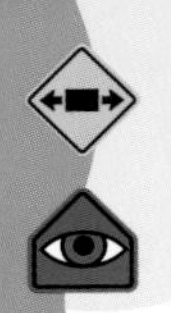

- Explique comment tu te prépareras à lire ce texte.
- Dis ce que tu sais de ce genre de texte.

Lis ce texte pour savoir ce qu'est un jouet extraordinaire. Ensuite, explique les jeux que tu peux inventer. Ça te permettra de réfléchir aux façons de consommer.

22•1

Le jouet extraordinaire

Les vacances de Noël ont commencé. Michou a invité ses amis à venir jouer avec lui.

Tu as vu, Michou, la page avec les robots ?

Moi, je voudrais une maison de poupée !

Une petite maison avec des petits meubles, des petits lits, des petites chaises, des…

Il y aurait aussi un coin pour les poupées !

Il jouerait toutes les musiques !

Il raconterait toutes les histoires !

Ba boum

Ba boum

Robinets ?

« Michou et Cachou », Montréal, Bayard Presse Jeune, *Pomme d'api*, n° 54, décembre 1996/janvier 1997, p. 4-6.

- Dis ce que tu penses du jouet extraordinaire inventé par les personnages.
- Décris des jeux que tu as déjà inventés.
- Sur la fiche qu'on te remet, note ce que Michou et ses amis rêvent d'avoir.

»»

1. **Lis les bulles suivantes. Pourquoi les mêmes mots sont-ils parfois en bleu et parfois en orangé ?**

»» Dans mon baluchon

As-tu déjà vu un **s**erpent qui mange **s**on de**ss**ert dans le dé**s**ert ?

– Je voudrais un ballon **extraordinaire**.
– Moi, je voudrais une balle **extraordinaire**.

Certains adjectifs **s'écrivent de la même façon** au masculin et au féminin.

jouer, je joue, il joue, elle joue,
ils jouent, elles jouent, lit, musique, page, poupée

- Explique ce que tu as aimé faire dans cette excursion.
- Discute avec tes amis de l'importance de réfléchir à la qualité des jouets avant d'en acheter
- Dis en quoi cette excursion t'aide à faire le projet.

- Explique comment tu te prépares à lire ce texte.
- Dis comment tu le liras.

Â

Lis ce poème sur Noël et explique ce que le sapin a gagné ou perdu depuis qu'il a été décoré. Ça t'aidera à réfléchir à l'utilisation des ressources de la forêt.

Le Noël du sapin

Un sapin réfléchissait:
J'ai perdu la neige, c'est vrai,
Les nuages et le vent frais
Et les oiseaux qui chantaient.

En échange, on m'a offert
De fragiles boules en verre,
Des bougies et des lumières,
Et des guirlandes légères.

Les enfants en pyjama
Chantent et dansent
Autour de moi.
C'est un beau destin?,
Pour un sapin!

Destin?

Corinne Albaut, *Comptines pour le temps de Noël*, Paris, © Actes Sud Junior, 1995, p. 22.

- Dis ce que tu penses de ce poème.
- Lis le mot, le groupe de mots ou la phrase que tu préfères. Explique pourquoi tu l'aimes.
- Dis ce que le sapin a perdu et gagné selon ce poème.

1. **Lis les textes suivants à voix haute en faisant des pauses après chacun des groupes de mots, là où il y a une barre oblique.**
2. **Dans quel texte les groupes de mots ont-ils le plus de sens ? Nomme la lettre appropriée.**

22•2

A

La sorcière Clara / Bistouille est amoureuse du père / Noël. Et tous / les soirs, depuis / longtemps, elle s'endort en / soupirant : / « Mais qu'il est beau ! Mais / qu'il est grand ! »

B

La sorcière Clara Bistouille / est amoureuse / du père Noël. / Et tous les soirs, depuis longtemps, / elle s'endort en soupirant : / « Mais qu'il est beau ! / Mais qu'il est grand ! »

Marie-Agnès Gaudrat, *Contes de Noël et de neige*, Paris, © Bayard Éditions, 1992, p. 51.

Dans mon baluchon

Gabriel fait le **gu**ignol en dansant sous le **gu**i.

STRATÉGIE

Quand je lis une phrase, je groupe les mots qui vont bien ensemble.

chanter, je chante, il chante, elle chante, ils chantent, elles chantent, oiseau

- Explique comment tu peux décorer un sapin de façon originale en utilisant des matériaux recyclés.
- Dis ce que tu penses de tes progrès en lecture.

- Explique ce que tu connais du réseau Internet.
- Nomme une personne que tu connais et qui navigue régulièrement dans Internet.

Rédige des questions que tu aimerais poser à cette personne afin qu'elle t'aide à trouver des sites amusants sur Noël. Ça te permettra d'expérimenter ce média de communication.

22•2

Internet en questions

1. Lequel des deux textes suivants est un questionnaire? Nomme la lettre appropriée.

A

1. Où demeures-tu?
2. Quelle est la date de ton anniversaire?
3. Quel est ton repas préféré?
4. Depuis quand connais-tu la mère Noël?

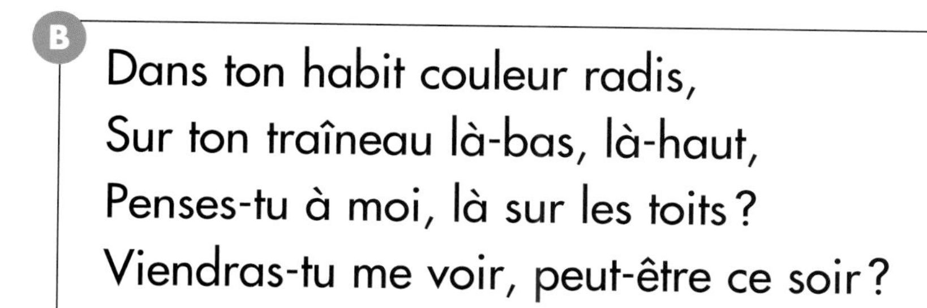

B

Dans ton habit couleur radis,
Sur ton traîneau là-bas, là-haut,
Penses-tu à moi, là sur les toits?
Viendras-tu me voir, peut-être ce soir?

2. Écris tes questions sur la fiche qu'on te remet.

3. Relis ton questionnaire et vérifie-le à l'aide des questions qu'on te propose. Ensuite, améliore-le.

Dans mon baluchon

Un questionnaire est un texte qu'on écrit quand on veut poser des questions sur une personne, un objet ou un événement.

STRATÉGIE

Avant d'écrire, je dis ce que je connais sur le sujet.

- Récris ton texte au propre et présente-le à la personne choisie.
- Présente à la classe ce qu'elle t'a fait connaître sur Internet.

- Explique ce que tu feras pour te préparer à lire ce texte.
- Dis ce que tu sais de ce genre de texte.

Lis les paroles de cette chanson pour la chanter avec ta classe. Ensuite, dis ce que tu aimes de l'hiver. Ça t'aidera à réfléchir aux habitudes à prendre par mesure de prudence durant la saison froide.

22•3

Voilà, c'est l'hiver !

(Sur l'air de *Marianne s'en va au moulin*)

1

Voilà, c'est l'hiver qui s'amène,
Voilà, c'est l'hiver qui se déchaîne.
Voilà le vent qui se tourmente,
Voilà la neige qui s'impatiente !
Partout le blizzard souffle,
Partout la neige s'engouffre.
Le vent et le froid picotent le nez,
On a les pieds gelés !

Se déchaîne ?

2

On cherche nos tuques et nos foulards,
Nos salopettes, vite on se prépare.
On veut aiguiser nos patins,
Sortir nos skis, glisser enfin !
Former de grosses boules,
Avec la neige qu'on roule,
Bâtir un fort avec courage,
Ces jeux sont de notre âge !

3

Bientôt ce sera le temps des fêtes,
Ce n'est pas ça qui nous embête.
On aime rire, chanter, danser,
S'amuser, aussi partager !
À l'aube de ce Nouvel An,
C'est bien éblouissant ?.
Tous debout à la première heure,
Avec notre bonne humeur !

Éblouissant ?

4

On espère cette froide saison,
Remplie de grandes expéditions.
On chérit cette blanche saison,
Parsemée de grandes émotions,
De flocons, d'étincelles
Qui brillent dans nos prunelles !
Voilà, c'est l'hiver qui s'installe,
D'un air très triomphal ? !

Triomphal ?

Suzanne Blain

- Chante cette chanson à l'école et à la maison.
- Nomme les mots qui te font penser à l'hiver.
- Communique oralement des moyens de passer l'hiver en toute sécurité.

1. **Lis le texte suivant et explique dans tes mots la stratégie utilisée par Zéphyr.**

– Oh ! Ernest… le beau petit sapin !

– Il est tout tordu, Célestine. Viens !

C'était une plantation▽ de sapins de Noël. On l'a laissé là parce qu'il n'est pas beau.

– Mais c'est pour ça que je l'aime, Ernest.

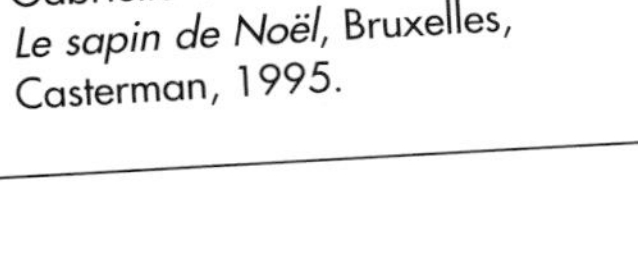

Gabrielle Vincent, *Ernest et Célestine, Le sapin de Noël*, Bruxelles, Casterman, 1995.

22•3

Dans mon baluchon

– Je rêve à la **bl**ancheur d'un **fl**ocon et au **bl**eu de la **fl**anelle de mon pyjama !

STRATÉGIE

Si je ne comprends pas un mot, je le relis et je l'observe. J'essaie de découvrir un petit mot que je connais à l'intérieur de ce grand mot difficile.

 air, enfin, vite

- Explique ce que tu as trouvé le plus difficile dans cette excursion.
- Nomme d'autres chansons sur le thème de Noël et de l'hiver.

Ton projet

Affiche tes couleurs

Qu'est-ce qui t'amène à te sentir unique au monde? Présente un aspect de toi et affiche tes couleurs!

- Quels sont tes goûts, tes habiletés ou tes intérêts particuliers?
- Quel est ton loisir préféré?
- Qu'est-ce qui te fait ressentir beaucoup de fierté?

Présente ta production et évalue-la avec ta classe.

- Explique comment tu feras pour te préparer à lire ce texte.
- Dis ce que tu connais de Gilles Tibo.

Lis ce texte pour savoir comment Mathieu, un garçon de ton âge, utilise ses sens. Ensuite, indique comment tu utilises les tiens. Ça te permettra de réfléchir à différentes façons de répondre à tes besoins quotidiens.

23 • 1

Un matin comme les autres

Ce matin, je me réveille comme d'habitude.
Je cache ma tête sous l'oreiller. BOUM… BOUM…
je sens mon cœur qui bat. PIT… PIT…
j'entends les pinsons qui volent autour
de la mangeoire dans le jardin.

Mangeoire ?

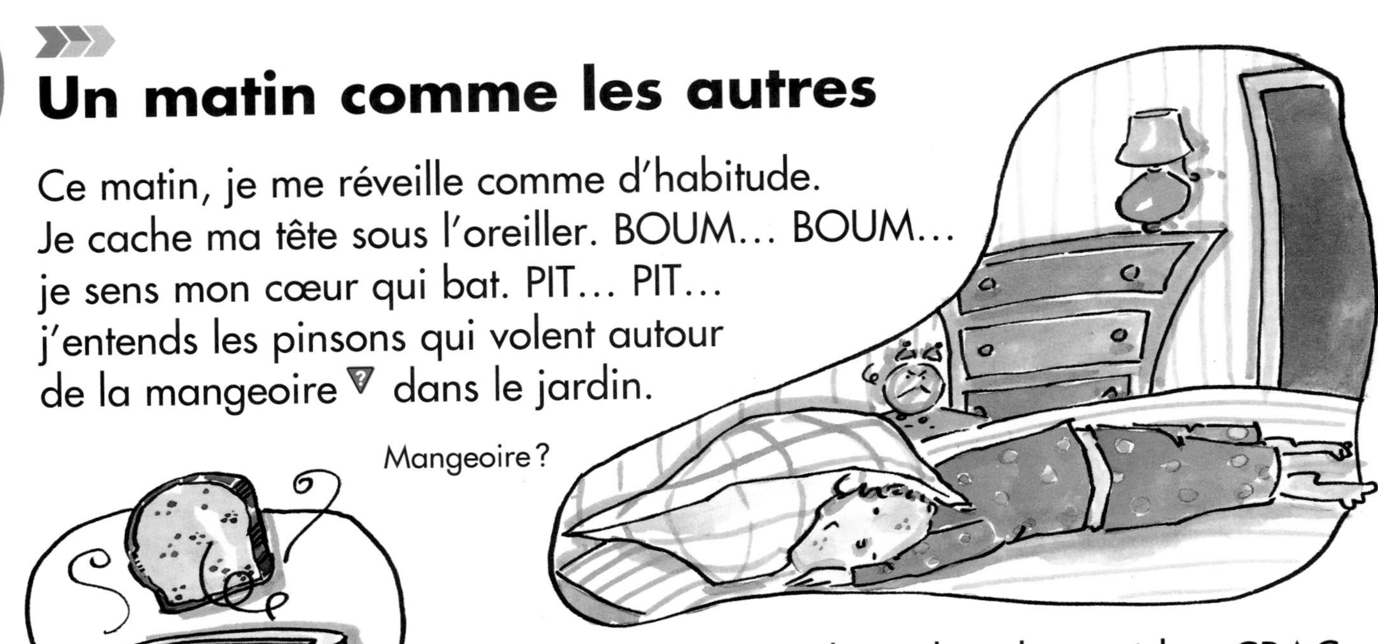

Mes parents marchent dans le corridor. CRAC…
le plancher craque. CLIC… une rôtie saute
hors du grille-pain. Ça sent le pain grillé.

Rôtie ?

Avec la main, je cherche mon vieil ourson en peluche.
Tous les soirs, avant de me coucher, je l'assois
en équilibre sur la plus haute tablette au-dessus
de mon lit. Il monte la garde de nuit. Chaque matin,
je donne un petit coup sous la tablette,
et mon ourson tombe sur moi.
Nous nous cachons
tous les deux
sous mon
oreiller.

Je quitte mon lit, et un tiroir s'ouvre dans ma tête. J'y cache des plans secrets qui donnent la disposition et les dimensions de ma chambre, de la maison et des rues environnantes.

Dimensions ?

J'enfile mes pantoufles accrochées au bord du lit. Je fais trois pas, je tourne à droite et quitte ma chambre. Virage à gauche, six autres pas en longeant le corridor. J'ouvre la porte de la salle de bains. Trois pas jusqu'à la cuvette. Ensuite, je referme la porte, six pas pour traverser le salon.

Cuvette ?

23 • 1

En entrant dans la cuisine, j'entends :

— Salut, Mathieu ! Bien dormi ?

— Allô, mon grand ! De bonne humeur, ce matin ?

J'embrasse mon père. Il vient de se raser. J'embrasse ma mère. Elle a changé de parfum, je ne le reconnais pas.

Ce n'est pas vraiment drôle d'avoir les yeux noirs ! D'un autre côté, je n'ai jamais peur dans le noir… parce que je suis toujours dedans !

Gilles Tibo, *Les yeux noirs*, Saint-Lambert, Soulières Éditeur, 1999, p. 19-25. (Ma petite vache a mal aux pattes)

- Dis ce qui t'étonne dans ce texte.
- Sur la fiche qu'on te remet, indique comment Mathieu utilise ses sens et comment tu utilises les tiens.

1. Observe le tableau ci-dessous. Imagine que c'est la chambre de Mathieu. Décris le trajet qu'il suivra de son lit à la porte. Utilise des mots comme **à gauche de…**, **à droite de…**, **sous…**, **derrière…**

La chambre de Van Gogh à Arles, Vincent Van Gogh, 1889.

2. Dis ce que tu penses de ce tableau.

Dans mon baluchon

J'aperçois le tr**ain** du mat**in**
et j'entends son refr**ain** mal**in**.

✎ cœur, dedans, jardin, matin, tête

- Communique oralement des consignes à un ou à une camarade et exécutes-en d'autres en gardant les yeux fermés.
- Décris des situations de ta vie où tu as particulièrement recours à l'un de tes sens.
- Explique en quoi ce texte est utile pour faire le projet.

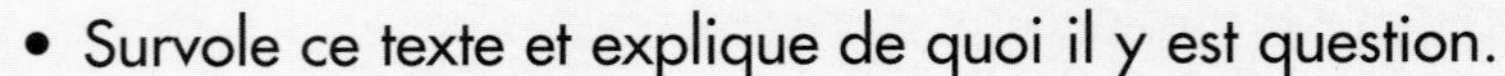

• Survole ce texte et explique de quoi il y est question.

Lis ce texte pour découvrir ce que fait le père Noël après sa tournée dans les maisons. Ensuite, donne ton opinion sur sa façon d'organiser son temps. Ça t'amènera à réfléchir à tes activités et à ta propre façon d'organiser ton temps.

23•2

Le calendrier du père Noël

En une seule nuit, le père Noël parcourt le monde en distribuant des jouets à tous les enfants… Mais que fait-il le reste de l'année ?

Fin décembre

Discrètement, il visite à nouveau toutes les cheminées… à la recherche des clefs de son château qu'il a égarées. Il en profite pour ramasser les cadeaux tombés du traîneau pendant la journée.

En janvier

Il délivre les jouets abandonnés au fond des grands magasins et les recueille chez lui, où ils attendront de faire le grand voyage pour le prochain Noël. Et puis il entraîne son équipe de basket-ball : les « Noël Magik ».

En février

Pour rien au monde, il ne manquerait le championnat de pétanque▼ des pingouins. C'est aussi un mois très chargé, durant lequel il vend des cheminées sur la banquise.

Pétanque ?

En mars

Il livre des pizzas en mobylette▼. La nuit, bien au chaud dans son atelier, il joue au père Noël téléguidé.

Mobylette ?

Dylan Pelot, *Que fait le Père Noël le reste de l'année ?*, Paris, © Gallimard Jeunesse, 1998. (Folio Benjamin)

En avril

Il cherche son calendrier qu'il a égaré quelque part dans son atelier.
En mai, juin, juillet, août, septembre, octobre, novembre, on ne le sait pas, car son calendrier… il ne l'a point trouvé !

- Dis ce que tu ferais si tu étais le père Noël.
- Explique les activités du père Noël de décembre à avril.

1. **Lis le texte suivant et explique dans tes mots la stratégie utilisée par Zénith.**

Ce tableau de Normand Hudon présente des enfants qui ont l'air tout penaud ▼.

Leur plus beau temps, Normand Hudon, 1983, collection Natalie Beauchamp, Multi-Art ltée, Saint-Lambert.

▼ Que veut dire ce mot? Je ne le sais pas. Je vais regarder l'illustration.

Ça y est, je comprends! Ça veut probablement dire « ennuyé, embarrassé ». Je vais relire la phrase pour vérifier.

2. **Dis ce que tu penses de ce tableau.**

Dans mon baluchon

Attention, **es**caliers gl**iss**ants! Prenez l'**as**censeur!

STRATÉGIE

Si je ne comprends pas un mot, je regarde les illustrations autour. Je relis ensuite la phrase et je vérifie si je comprends mieux.

 journée, mois, nuit, tous, tout, toute

- Explique ce que tu as préféré faire dans cette excursion.
- Nomme un moyen que tu utilises pour organiser tes activités scolaires ou familiales.

- Rappelle-toi les occupations du père Noël après le mois de décembre.
- Imagine ce que le père Noël pourrait faire d'autre.

Rédige un calendrier mensuel farfelu pour expliquer ce que fera le père Noël de mai à novembre. Ça te permettra de réfléchir à l'utilité de s'organiser pour réaliser un projet.

La suite du calendrier

1. Lequel des calendriers suivants est un calendrier mensuel ? Nomme la lettre appropriée.

2. Nomme toutes les activités qui sont énumérées dans les calendriers. Imagine d'autres activités que le père Noël pourrait faire.

3. Décris des activités du père Noël sur la fiche qu'on te remet.

4. Relis ton texte et vérifie-le à l'aide des questions qu'on te propose. Ensuite, améliore-le.

Dans mon baluchon

STRATÉGIE

Avant d'écrire, je choisis des idées et des mots. Je peux :
- les dessiner ;
- en parler à quelqu'un ;
- faire des images dans ma tête.

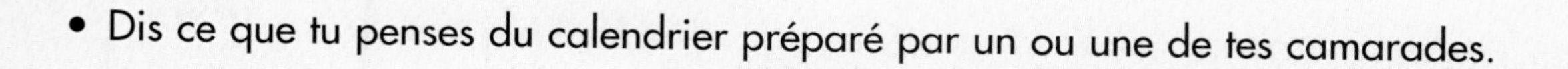

- Dis ce que tu penses du calendrier préparé par un ou une de tes camarades.

- Observe le texte et précise de quoi il y est question.
- Sur la fiche qu'on te remet, note ce que tu sais sur la vie des animaux en hiver.
- Explique en quoi ce texte pourrait t'être utile.

Lis ce texte pour découvrir comment les animaux se protègent du froid en hiver. Vérifie ensuite tes connaissances sur le sujet. Ça te permettra de comprendre comment les animaux s'adaptent à leur environnement.

23 • 3

Des animaux en hiver

À l'automne, certains animaux nous quittent pour aller vers le sud. Mais il y a aussi des animaux qui restent ici et qui hibernent.

La marmotte

En été, la température du corps de la marmotte est de 30 degrés Celsius. Quand elle hiberne, sa température baisse. Elle atteint environ 10 degrés Celsius.

Quelle que soit la saison, la température de ton corps est de 37 degrés Celsius. Lorsque tu fais de la fièvre, ta température peut s'élever de 3 ou 4 degrés. Tu ne te sens alors pas très bien.

Atteint ?

Le papillon

Certains papillons passent l'hiver dans leur cocon, accroché à la tige d'une plante.

Ils survivent ainsi à l'hiver grâce à un antigel qu'ils produisent. Cet antigel ressemble au liquide qu'on met dans le radiateur des voitures pour empêcher l'eau de geler.

Antigel ?

La taupe

La taupe engrange des vers de terre dans ses galeries. Elle les mord près de la tête. Comme ça, ils ne peuvent pas s'enfuir, mais ils demeurent bien vivants. Une chance que tu n'as pas à faire ça avec ta nourriture !

Engrange ?

La chauve-souris

Les chauves-souris qui restent au Québec se rassemblent par milliers pour hiberner. Chaque animal produit un peu de chaleur. De cette façon, tout le groupe réussit à se protéger contre le gel. Quel travail d'équipe !

4

Comme tu peux le voir, les animaux qui passent l'hiver ici peuvent combattre les froids intenses grâce à des moyens parfois étonnants !

- Discute avec ta classe de ce qui t'étonne dans les comportements de ces animaux.
- Sur ta fiche qu'on te remet, note ce que tu as appris sur le comportement des animaux en hiver.

- Quels animaux de ton environnement peux-tu observer dehors en hiver ?
- Quels animaux ne vois-tu jamais en hiver ? Qu'arrive-t-il à ceux qui restent ici ?

D'autres animaux en hiver

1. En équipe, observez les animaux suivants et répondez aux questions.
   a) Comment se protègent-ils du froid ?
   b) Pourquoi agissent-ils de la sorte ?
   c) Comment les classeriez-vous ?

2. Classez les animaux sur la fiche qu'on vous remet.

3. Présentez votre classification à la classe d'une façon originale.

- Parmi ces animaux, lequel t'étonne le plus ?

1. Imagine des livres qui auraient les titres suivants. Explique en quoi la lecture de ces livres pourrait t'être utile.

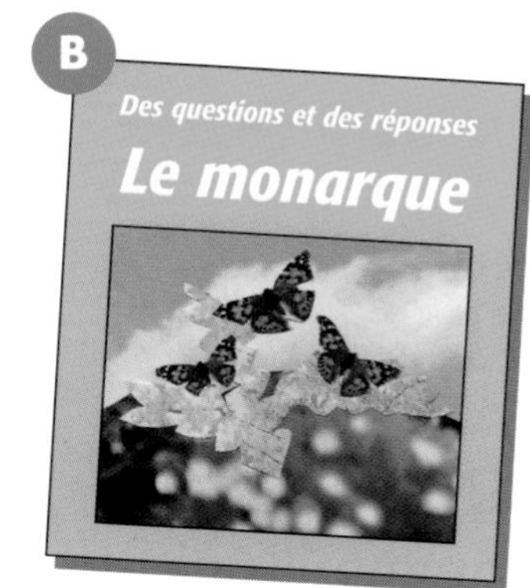

23 • 3

2. Lis le texte suivant et compte les phrases qui ont un verbe, puis celles qui ont deux verbes.

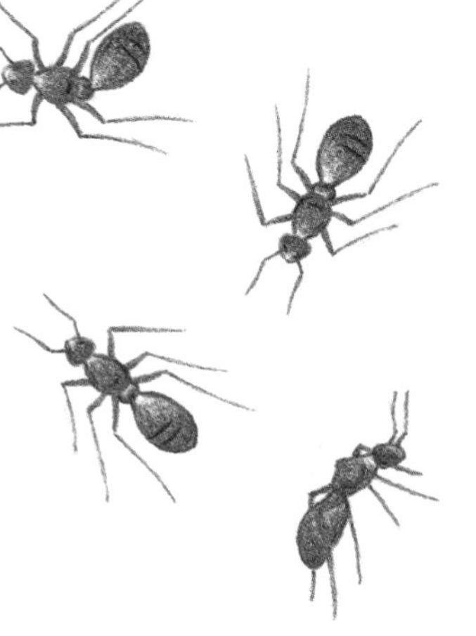

Les insectes en hiver

Certains insectes qui pondent des œufs meurent avant la fin de l'été. Leurs œufs résistent au froid dans une enveloppe épaisse. D'autres insectes se cachent. Par exemple, les fourmis ne sortent pas de leur fourmilière avant le dégel.

Dans mon baluchon

tempête — **em**

dent — **en**

Déc**em**bre, janvier, vous nous faites claquer des d**en**ts **en** cad**en**ce avec votre **tem**pérature **em**barrassante.

STRATÉGIE

Avant de lire un texte, je me demande en quoi ce texte pourrait m'être utile.

Si tu observes attentivement, tu vois les forces de la nature.

Une phrase commence par une lettre majuscule et se termine par un point.
Il peut y avoir **deux verbes** dans une phrase bien construite.

bas, basse, eau, encore, qui, vers

Brrr! Quel froid de canard!

- Explique dans tes mots comment les animaux s'adaptent à leur environnement.
- Dis ce que tu fais pour t'adapter à l'hiver.

- Survole ce texte et explique de quoi il y est question.
- Dis ce que tu sais de ce genre de texte.
- Explique ce que la lecture de ce texte pourrait t'apporter.

Lis ce texte pour savoir ce qui arrive lors d'une journée d'hiver sans soleil, puis mémorise-le. Ça te permettra de discuter des beautés de l'hiver.

23•4

Chanson d'hiver

Le soleil est en congé :
Comme il neige ! comme il neige !
Le soleil est en congé
(Quelque part à l'étranger ?)...
Quant à moi, flocons légers,
Quand il neige, quand il neige.
Quant à moi, flocons légers,
J'aime à vous voir voltiger.

Voltiger ?

Le soleil est en congé :
Comme il neige ! comme il neige !
Le soleil est en congé
(S'il n'a pas déménagé !)...
Chacun de s'interroger,
Tant il neige, tant il neige.
Chacun de s'interroger :
Jusqu'à quand va-t-il neiger ?

Jean-Luc Moreau, *Chanson d'hiver*, tiré de *Poèmes de la souris verte*, Paris, © Hachette Livre. (Le Livre de poche jeunesse)

- Dis ce que tu aimes le plus dans ce poème.
- Mémorise ce poème afin de le réciter à une personne que tu connais.
- Transforme-le à ta façon. Comment procéderas-tu ?

1. **Lis le texte suivant avec expression. Qu'est-ce qui t'indique comment faire ?**

D'habitude, le petit pingouin aime bien faire la grasse matinée.
Mais ce matin, lorsque sa maman vient le réveiller,
elle le trouve assis dans son lit de neige,
les yeux grands ouverts.

« Debout, mon chéri ! lui dit-elle.
Le petit déjeuner est prêt ! »

Le petit pingouin pousse un gros soupir.
Il jouait si bien avec ses animaux en peluche !

Katja Reider, traduit par Géraldine Elschner,
Ras le pompon !, Saint-Germain-en-Laye,
Éditions Nord-Sud, 1997, p. 6-7.

Mon enfant s'intéresse à de volumineux livres de référence. Comment l'aider ?

Le mieux est de consulter ce livre en sa compagnie et surtout de ne pas l'obliger à tout lire ! Montrez-lui la table des matières ou l'index afin de découvrir ce qui l'intéresse le plus dans l'ouvrage. Lisez ensemble sur le sujet choisi (légendes des photos, paragraphes). Discutez ensuite de ce que ce texte vous apprend.

Dans mon baluchon

Tr**ei**ze b**ai**gneurs se partagent s**ei**ze fr**ai**ses.
Aidez-les !

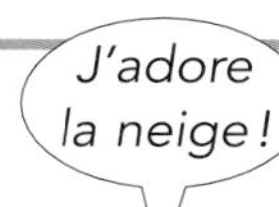

Il neige. Que c'est beau !

Une phrase commence par une majuscule
et se termine par un point, un point d'interrogation
ou un **point d'exclamation**.

aimer, j'aime, il aime, elle aime,
ils aiment, elles aiment, quelque, semaine, soleil, voir

- Explique ce que tu as appris dans cette excursion.
- Discute avec tes camarades :
  - de ce que tu aimes le plus en hiver;
  - de ce que tu aimes le moins en hiver.

- Dis de quel genre de texte il s'agit.
- Explique en quoi la lecture de ce texte pourrait t'être utile.

Lis ce texte pour t'informer sur l'eau. Ça te permettra de prendre conscience de son importance et de ce que tu peux faire pour protéger cette ressource naturelle.

23•5

L'eau

La planète Terre est une planète d'eau. Plus de la moitié de sa surface est recouverte d'eau. Quelle chance nous avons ! Mais au fait, que sais-tu sur l'eau ?

2

L'eau, c'est pratique

Nous pouvons boire l'eau du robinet. Nous nous relaxons dans un bon bain chaud. Nous nous servons de l'eau pour cuisiner ou laver nos vêtements.

L'eau douce, l'eau salée

Tous les jours, nous buvons de l'eau douce. Nous l'appelons « eau potable ». Cette eau est aussi utilisée dans les fermes pour arroser les champs et nourrir les bêtes.

Potable ?

3

Curieusement, les plus grandes masses ▽ d'eau que nous pouvons observer sur le globe terrestre ne sont pas des masses d'eau douce. Il s'agit plutôt d'eau salée. As-tu déjà bu un verre d'eau salée? Ça brûle un peu la gorge! Si nous utilisions l'eau salée pour arroser les champs, elle brûlerait les plantes.

Masses?

4

La pollution de l'eau

Nous n'avons pas toujours fait attention à l'eau. La pollution de l'eau cause d'importants problèmes aux animaux marins et aux plantes. Elle peut aussi rendre les humains malades. De plus en plus, on tente de dépolluer ▽ les eaux.

Dépolluer?

Adaptation d'un texte d'André Pion, « L'eau, c'est la vie », ACDI, *Sous un même soleil*, 1988, p. 3-6.

5

6

- Explique tout ce que tu fais avec l'eau et ce que tu peux faire pour la protéger.
- Classe les renseignements de ce texte à l'aide de la fiche qu'on te remet.
- Discute de l'utilité des ▽ avec tes camarades.

- Quelles expériences peux-tu faire pour découvrir des caractéristiques de l'eau ?
- Comment organiseras-tu tes expériences ?

Des expériences sur l'eau

Fais des expériences avec des coéquipiers !

1. Choisissez le questionnaire qui vous intéresse (A, B ou C).

A

- Quelle est la couleur de l'eau ?
- Quelle forme ont les gouttes d'eau ?
- Quel matériau absorbe l'eau ?

B

- Quelle quantité de sel peut fondre dans un verre d'eau ?
- L'eau salée gèle-t-elle dans un congélateur ?
- Qu'arrive-t-il si on laisse de l'eau salée dans une soucoupe sur le bord d'une fenêtre ?

C

- Comment peut-on purifier un verre d'eau sale ?
- L'eau sale gèle-t-elle dans un congélateur ?
- Qu'arrive-t-il si on laisse de l'eau sale dans une soucoupe sur le bord d'une fenêtre ?

2. Planifiez vos expériences.

a) Quelles expériences ferez-vous pour répondre à chaque question ?

b) De quel matériel avez-vous besoin ?

c) Que ferez-vous en premier ? ensuite ? en dernier ?

3. Écrivez vos résultats sur la fiche qu'on vous remet et comparez-les avec ceux de vos camarades.

- Quelles nouvelles caractéristiques de l'eau as-tu découvertes ?

1. **Lis le texte suivant avec expression. Qu'est-ce qui t'indique comment faire ?**

Tôt ce matin, quelque chose nous a éveillés.
C'était peut-être le silence...
Des milliers de flocons tombent doucement.
Un épais tapis blanc recouvre tout.
Y en aura-t-il assez ?
Fermera-t-on les écoles ?
Patience, patience...
Au moment où j'allais franchir la porte,
nous entendons les mots magiques...
PAS D'ÉCOLE !

Werner Zimmermann, texte français de Christiane Duchesne, *Pas d'école !*, Markham, Les Éditions Scholastic, 1999, p. 1-7.

Dans mon baluchon

Sous son nouvel **im**perméable, Mart**in** fait un cl**in** d'œil aux **in**tempéries.

Connais-tu des jeux d'eau ?

Une phrase commence par une majuscule et se termine par un point, un **point d'interrogation** ou un point d'exclamation.

Est-ce que je vais remplir mon verre ?

 douce, doux, nos, vie

- Explique ce que tu peux faire pour utiliser l'eau intelligemment.
- Dis ce que tu as préféré faire dans ce thème.

Faisons le point ensemble

Je veux lire avec mes amis.

Dans mon baluchon

Voici des mots d'orthographe vus récemment. Avec tes camarades, invente des façons de les revoir.

air
animal
animaux
auto
autre
chaud
chaude
cheval
chevaux
cœur
comme
douce
doux
eau
encore
enfant
enfin
famille
femme
fenêtre
feu
froid
froide
homme

jardin
joli
jolie
jour
journée
joyeuse
joyeux
là
lit
mais
matin
même
mois
monde
montagne
musique
neige
nez
nos
nuit
oiseau
page
papier
parfois

pauvre
pluie
quelque
qui
reine
roi
samedi
soleil
tous
tout
toute
vent
vers
vie
vite

aimer
j'aime
il aime
elle aime
ils aiment
elles aiment

aller
ils vont
elles vont

avoir
j'ai
il a
elle a
ils ont
elles ont

chanter
je chante
il chante
elle chante
ils chantent
elles chantent

dire
je dis
il dit
elle dit

être
c'est
je suis
tu es
il est
elle est
ils sont
elles sont
il était
elle était
j'ai été

faire
je fais
il fait
elle fait
ils font
elles font

Que penses-tu de ta façon d'écrire ces mots ? Indique le visage qui correspond à ta réponse et explique ton choix.

Les cartes Oreillimot

Les cartes Oreillimot

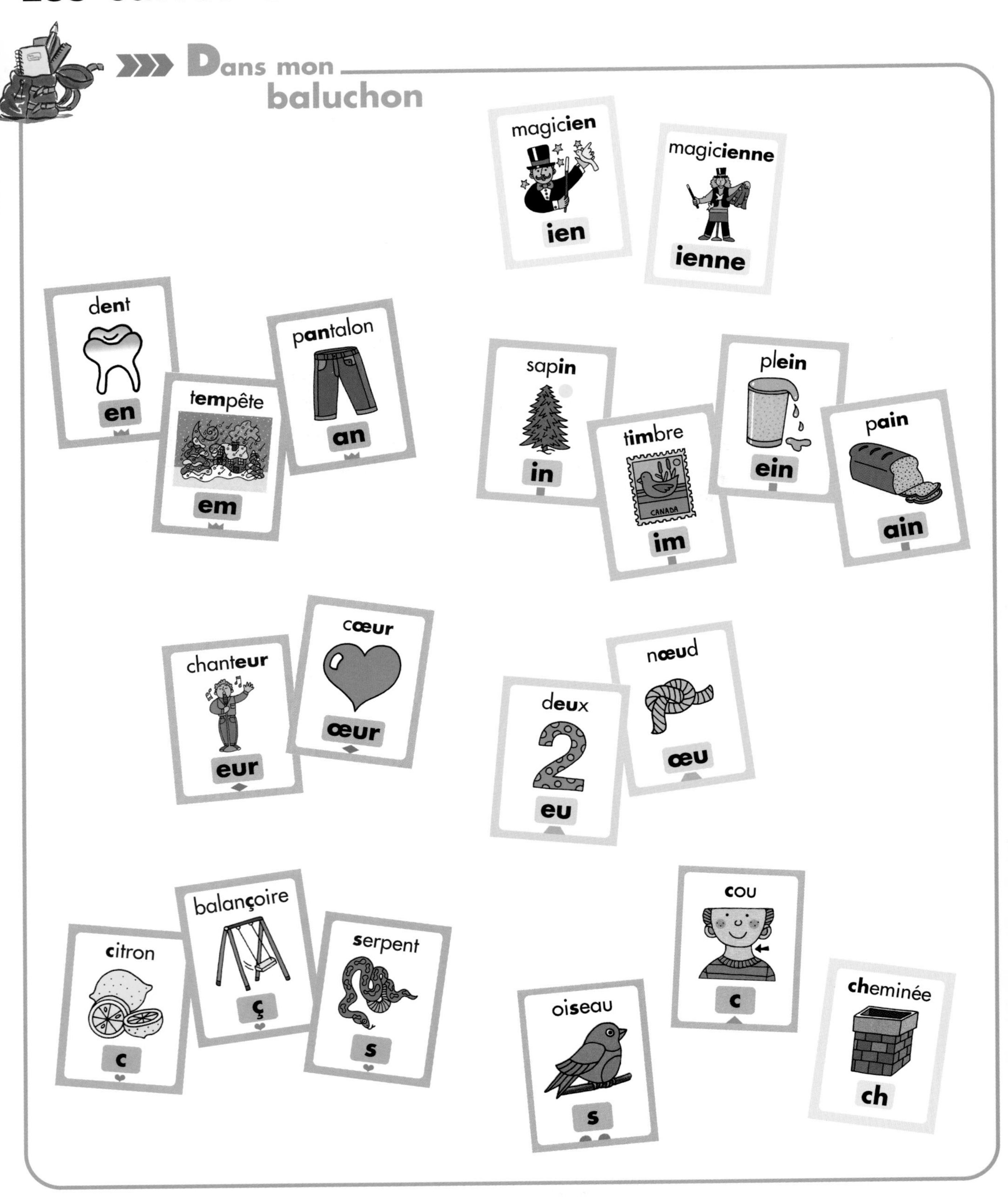